LE PETIT LIVRE
DE PARIS

LE PETIT LIVRE DE PARIS

Dominique Foufelle

CHÊNE

SOMMAIRE

ARMES DES VILLES DE FRANCE

PARIS

Les quais à Paris

Il reste difficile de dater avec précision la fondation de la future Paris. Mais on admet communément qu'elle est due à la tribu gauloise des Parisii, qui la nommaient Loutouchezi, « habitation au milieu des eaux ». Cette appellation suggère que la tribu s'était installée sur une île de la Seine, probablement l'île de la Cité. Les faits s'éclaircissent à partir de l'Antiquité : l'armée de Jules César commandée par Labienus assiège en 53 av. J.-C. la cité des Parisii, qui l'incendient avant de laisser entrer les vainqueurs. Une aubaine pour les Romains, qui bâtissent rapidement une cité gallo-romaine rebaptisée Lutetia, Lutèce. Cette ville toute neuve possède tous les atouts pour se développer : le fleuve, bien sûr, et sa situation au carrefour d'importantes voies de communication. Elle s'étend d'abord sur la rive gauche, au pied de la montagne Sainte-Geneviève, où l'on rencontre aujourd'hui de rares vestiges gallo-romains. Les nautes, ou marchands de l'eau, y forment la corporation la plus puissante, et le seront toujours au Moyen Âge. On retrouve leur symbole, un bateau, sur le blason de Paris, dont le dessin a évolué au fil des siècles. La devise de la ville, officialisée en 1853, viendrait aussi des nautes : *Fluctuat nec mergitur*, « Il flotte, mais ne sombre pas ».

Promue capitale

Vers 300, Lutèce déjà fortement christianisée prend un nom qui rappelle ses fondateurs gaulois : Paris.

Elle doit repousser des invasions répétées. La plus terrible et la plus célèbre s'est déroulée en 451, quand Attila et ses Huns sont aux portes de la ville. Mais la fille du notable franc Severus dissuade les habitants de fuir. Attila épargne alors Paris. La courageuse chrétienne qui a sauvé la ville en deviendra la patronne : c'est sainte Geneviève. Trente ans plus tard, elle organise la résistance contre Clovis, qui assiège la ville. Le roi des Francs ne s'en rendra finalement maître qu'au prix de sa conversion au catholicisme en 496. Il fait ensuite de Paris la capitale du royaume des Francs. La vie s'y concentre alors uniquement autour de l'île de la Cité. Au IXe siècle, alors que règnent les Carolingiens, dont le plus fameux restera Charlemagne, les invasions normandes obligent les habitants à se réfugier derrière les remparts gallo-romains, et Paris se dépeuple. La ville retrouve son dynamisme au début du Xe siècle, quand le comte de Paris Hugues Capet devient roi de France. Ses descendants, les rois capétiens, construiront le palais de la Cité, leur résidence jusqu'au XIVe siècle. Ils ne donneront cependant le titre de capitale à Paris qu'en 1112, au détriment d'Orléans.

Heurs et malheurs du Moyen Âge

Au Moyen Âge, Paris s'étend à nouveau sur la rive gauche. Les turbulents étudiants des universités envahissent les abords de la montagne Sainte-Geneviève, qui prennent à cette époque leur nom de Quartier latin. À la fin du XIIe siècle, le roi Philippe Auguste ordonne la construction d'un nouveau palais sur la rive droite :

le Louvre. Il fait également édifier une enceinte en pierre. Charles V va devoir l'élargir à partir de 1356, car Paris s'est enrichie de nombreux bourgs et faubourgs, que le roi entend aussi protéger à l'intérieur d'une nouvelle muraille. Hélas, les XIVe et XVe siècles réservent bien des malheurs aux Parisiens : famines, épidémies de peste, auxquelles s'ajoutent les ravages de la guerre de Cent Ans. Des émeutes éclatent. La population décroît considérablement. Paris, exsangue, est délaissée par les rois pour le Val de Loire. François Ier y revient en 1527. Féru d'art, il apporte à la capitale des embellissements. Ce développement est ralenti par les guerres de Religion. Il reprend avec l'avènement d'Henri IV, premier des rois Bourbons, en 1589.

La consécration politique et artistique
À partir du XVIIe siècle, Paris s'étend et se construit formidablement. Les rois font agrandir le Louvre et édifient églises, bâtiments administratifs et monuments. Mais ils ne sont plus les seuls à modifier le visage de la capitale : nobles et bourgeois font construire des hôtels particuliers. La diversification des quartiers selon les classes sociales se précise. Sous Louis XIV, les fortifications de Charles V sont progressivement rasées et se métamorphosent en boulevards, où des foules en quête de réjouissances se promènent. La vocation de pôle intellectuel de Paris s'affirme sous Louis XV : c'est là que se rencontrent les philosophes et les artistes. Pendant ce temps, dans les quartiers populaires, la révolte gronde. Les grands événements de la Révolution se déroulent

à Paris, mais ne laisseront ni dommages considérables ni transformations notables. La Ire République dote cependant la ville d'un maire, lui rendant ainsi son rôle de capitale politique, qu'elle ne perdra plus, excepté durant l'Occupation par l'Allemagne nazie. La stabilité politique ne caractérise pas la France du XIXe siècle ! Empire, Restauration monarchique, République et second Empire se succèdent jusqu'à l'avènement définitif de la République en 1871. Les troubles perturbent et retardent les grands travaux. Mais ils ne les empêchent pas, car chaque gouvernement reprend ceux qui ont été entrepris par son prédécesseur. Napoléon III et son préfet le baron Haussmann bouleversent la physionomie de Paris en créant de nouvelles artères et des espaces verts, et en annexant en 1860 des communes limitrophes. L'empereur crée ainsi les vingt arrondissements actuels. À la même époque, les progrès du chemin de fer imposent la construction de gares, et les Expositions universelles offrent le prétexte de nouveaux monuments, rarement pérennes, dont en 1889, la tour Eiffel. Durant la première moitié du XXe siècle, Paris se transforme moins. Mais la IIIe République y mène des travaux d'assainissement. L'urbanisme parisien reprend de la vigueur à partir des années 1970. Parfois pour le pire, avec la place grandissante accordée à l'automobile et l'édification d'immeubles dépourvus de grâce, telle la tour Montparnasse. Parfois pour le meilleur, avec la protection du quartier du Marais, la création de nouveaux espaces verts et celle de monuments appelés à devenir des classiques, tel le Centre Georges-Pompidou.

LES ARRONDISSEMENTS DE PARIS

En 1795, le Directoire répartit le territoire de Paris en douze arrondissements. La capitale s'arrête alors au mur des Fermiers généraux. Cet octroi sera remplacé à partir de 1841 par l'enceinte dite « de Thiers », qui englobe vingt-quatre communes autonomes. En 1860, Napoléon III, qui rêvait d'un grand Paris, décide de toutes les annexer. La capitale, ainsi considérablement étendue, est redécoupée en vingt arrondissements. Reste à leur distribuer des numéros. Suivre la répartition adoptée pour les douze premiers arrondissements, d'ouest en est et du nord au sud, poserait un problème épineux : l'actuel XVIe arrondissement porterait le funeste numéro XIII, ce qui risquerait d'offusquer la bourgeoisie locale sur laquelle Napoléon III appuie sa politique. Le maire de Passy trouve la solution. Il imagine une numérotation « en escargot », dans laquelle le centre historique de Paris, au nord de l'île de la Cité, prend le numéro I. La numérotation progresse ensuite dans le sens des aiguilles d'une montre. Dans sa globalité, Paris présente alors un visage qui ressemble à celui que nous connaissons : un centre animé, riche en monuments et faiblement peuplé ; un ouest aéré et riche ; un est ouvrier et populeux. Mais pas plus qu'aujourd'hui, les arrondissements n'ont une personnalité unique. Au sein de chacun d'eux, se succèdent des identités disparates. Si Paris a énormément changé depuis 1860, cette réalité demeure.

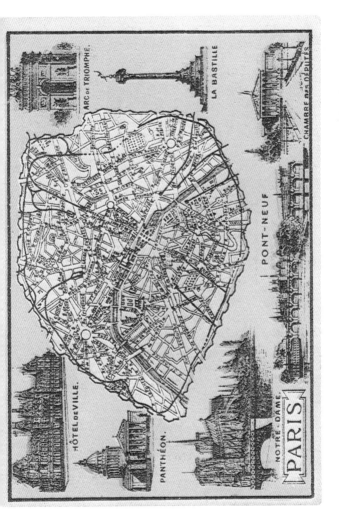

LE LOUVRE
Iᵉʳ arrondissement

La forteresse édifiée par Philippe Auguste en 1190 n'occupait qu'un quart de la cour Carrée, à l'ouest du palais actuel ; une infime partie des 135 000 mètres carrés de salles, de chambres et de galeries qui composent aujourd'hui le Louvre. Au XIVᵉ siècle, Charles V en fit une résidence royale. Ses plus illustres successeurs jusqu'à Louis XIV agrandirent et embellirent l'édifice, et furent ensuite imités par les deux Napoléon. La vocation de centre artistique du Louvre naquit en 1692, dix ans après le départ de Louis XIV et de sa cour pour Versailles. Les appartements royaux abritèrent alors les académies représentant les arts, les lettres et les sciences. Des peintres s'installèrent à leur tour dans les galeries, suivis de boutiquiers divers. Dès 1699, des expositions furent organisées au Louvre. À la Révolution, la Convention décida d'ouvrir la Grande Galerie au public, dévoilant les trésors des collections royales. Une partie du palais des rois devint alors un musée. Sous l'Empire, Napoléon Iᵉʳ dota le Louvre d'œuvres confisquées aux vaincus de ses campagnes. Legs et achats complétèrent ensuite les catalogues jusqu'aux quelque 35 000 pièces actuelles. Décidé en 1981 par François Mitterrand, le Grand Louvre élargit le musée à la totalité des bâtiments du palais et enrichit la cour Napoléon de la pyramide d'Ieoh Ming Pei.

PARIS

AUTREFOIS — AUJOURD'HUI

LE LOUVRE.

LE LOUVRE.

LES TUILERIES
Ier arrondissement

À la mort de son époux Henri II, Catherine de Médicis décida de faire bâtir un nouveau palais. Elle choisit un terrain vague occupé jadis par des tuileries et faisant face au Louvre. De cette proximité naquit plus tard le « grand dessein » conçu par Henri IV. Il s'agissait de relier par des galeries le palais des Tuileries au palais du Louvre. Le bon roi Henri fit bâtir la première le long de la Seine. Mais le projet ne s'acheva que sous le second Empire, avec la construction en 1870 d'une aile le long de la rue de Rivoli. Les deux palais formèrent alors un seul ensemble majestueux. Pour un an seulement, car en 1871, un incendie ravagea le palais des Tuileries, qui fut rasé en 1883. Reste aujourd'hui le jardin, qui ouvre, depuis l'arc de triomphe du Carrousel, une superbe perspective jusqu'à la Défense. Au XVIIe siècle, le parc à l'italienne de Catherine de Médicis avait fait place à un jardin à la française. Colbert, qui avait orchestré cette transformation, fut convaincu par son ami l'écrivain Charles Perrault de faire des Tuileries le premier jardin public de la capitale, ce qui fut fait. Au XIXe siècle, le jardin attira des promeneurs nommés Charles Baudelaire, Édouard Manet ou Marcel Proust, qui y trouvaient l'inspiration. Abondant en statues, il s'enrichit constamment d'œuvres contemporaines.

AUX TUILERIES

LES HALLES

L'arrivage et l'échange de marchandises se déroulaient sur l'île de la Cité depuis mille ans quand Louis VII décida en 1137 de créer un marché central hors les murs. Il choisit le lieu-dit les Champeaux, sur la rive droite, pour l'établir. Très rapidement, le marché s'étendit. Au XVIe siècle, une galerie couverte l'encadrait. Cependant, depuis l'époque des Mérovingiens, on continuait à entasser des défunts dans le cimetière des Innocents contigu. L'écroulement d'un mur d'enceinte, entraînant une avalanche de cadavres dans la cave d'un restaurateur, décida les autorités à vider et à fermer la nécropole en 1786. Le marché aux fleurs prit alors la place. Les halles n'en restaient pas moins exiguës et insalubres. Leur rénovation débuta en 1851 sous la direction de Victor Baltard. Cet architecte novateur fit élever dix pavillons, dont l'ossature métallique et la couverture en verre optimisaient la circulation de la lumière et de l'air. Quelques années plus tard, Émile Zola situa aux Halles son roman *Le Ventre de Paris*, qui décrivait une plongée dans un monde grouillant de vie, jour et nuit. Mais à l'ère de l'automobile, il devint difficile d'atteindre ce lieu situé au centre de la capitale en un temps raisonnable. Les halles furent donc transférées à Rungis en 1959. Des pavillons dits « Baltard », seul le n° 8, celui des volailles, échappa à la destruction en 1971. Remonté à Nogent-sur-Marne, il accueille aujourd'hui des événements divers.

PARIS AUTREFOIS AUJOURD'HUI

LA FONTAINE DES INNOCENTS. JEAN GOUJON HALLES CENTRALES.

ÉGLISE SAINT-EUSTACHE

Ier arrondissement

Une chapelle dédiée à sainte Agnès avait été financée au XIIIe siècle par Jean Allais. Prêteur du roi Philippe Auguste, ce marchand avait gagné le droit de prélever un denier sur chaque panier de poissons vendu aux Halles et en remerciait ainsi la Providence. La chapelle devint ensuite église paroissiale et passa sous la protection de saint Eustache. Cependant, au fur et à mesure que s'étendait le marché des Halles, le sanctuaire ne pouvait plus répondre à l'affluence des fidèles. C'est pourquoi les marchands subventionnèrent des agrandissements dès le XVe siècle. Perpétuellement inachevé, l'édifice hérita au XVIIIe siècle d'une façade principale classique qui tranchait avec le reste, de style gothique. Fortement dégradée à la Révolution, Saint-Eustache fut rénovée au XIXe siècle par Victor Baltard, l'architecte des pavillons des Halles. Elle est aujourd'hui l'une des plus belles églises de Paris. Rénové en 1989, son orgue grandiose à 8 000 tuyaux en fait un haut lieu musical.

Les Halles.—St Eustache.

BOURSE DE COMMERCE
Iᵉʳ arrondissement

À cet emplacement se trouvait depuis le XIIIᵉ siècle l'hôtel de Soissons, propriété de la famille royale. En 1572, en pleine construction de son palais des Tuileries, Catherine de Médicis y emménagea subitement. La légende raconte que son caprice a été dicté par une prédiction. On prête en effet à la veuve d'Henri II un fort penchant pour les sciences occultes, comme en témoigne la colonne Médicis, toujours en place, qu'elle fit construire pour que son astrologue Cosimo Ruggieri puisse scruter les étoiles. À sa mort, Catherine laissa de lourdes dettes et un héritage compliqué. Les créanciers finirent par obtenir les terrains de l'hôtel de Soissons, prestement démoli au profit d'une halle au blé construite par l'architecte Nicolas Le Camus de Mézières en 1767. Le nouvel édifice répondait au besoin de stocker les grains arrivant par la Seine et d'en centraliser le négoce. Au milieu du XIXᵉ siècle, cette fonction devint caduque. Puis un incendie, le second, entraîna la fermeture définitive de la halle. Le bâtiment reconstruit devint la Bourse de commerce. Il avait gagné au passage une belle coupole de fer et de verre. On y traita des marchés à terme jusqu'en 1998. La Chambre de commerce et d'industrie de Paris occupe aujourd'hui l'endroit.

AUTREFOIS · PARIS · AUJOURD'HUI

MAISON ET TOUR DE RUGGIERI

RUGGIERI 1572

BOURSE DU COMMERCE

PALAIS-ROYAL
Ier arrondissement

Le premier édifice s'appelait Palais-Cardinal. Le rusé Richelieu en commanda la construction en 1628 pour demeurer tout près du Louvre, donc du roi. Il fit de Louis XIII l'héritier de son hôtel doté d'un vaste jardin. Le nom de Palais-Royal s'imposa avec l'installation du jeune Louis XIV et de sa mère Anne d'Autriche en 1643. Le palais tomba ensuite dans l'escarcelle des d'Orléans par Monsieur, frère de Louis XIV, qui en hérita. Au XVIIIe siècle, le régent Philippe II d'Orléans, qui gouverna la France pendant la minorité de Louis XV, y recevait maîtresses et courtisans pour des soirées libertines. À la veille de la Révolution, son arrière-petit-fils Philippe Égalité, très endetté, imagina un habile moyen de renflouer ses caisses : il entoura le jardin de bâtiments à arcades, dont il loua les rez-de-chaussée à des boutiquiers. Le Palais-Royal devint alors très vite un lieu de liberté d'expression. C'est d'ailleurs ici que Camille Desmoulins appela les Parisiens à l'insurrection le 12 septembre 1789. Confisqué à la Révolution, restitué aux d'Orléans, occupé par Napoléon III et incendié puis restauré à deux reprises, le Palais-Royal revint définitivement à l'État en 1871. La IIIe République y installa le Conseil d'État. Depuis, le palais n'a connu qu'un événement orageux : l'installation des colonnes de Daniel Buren dans la cour d'Honneur en 1986, qui provoqua une vive polémique.

PARIS ✳ AUTREFOIS & AUJOURD'HUI

CAMILLE DESMOULINS.

LE PALAIS ROYAL.

JARDIN DU PALAIS ROYAL.

COMÉDIE-FRANÇAISE

Ier arrondissement

Dès son édification par le cardinal de Richelieu en 1628, le Palais-Royal comprenait un théâtre. Molière et ses comédiens y jouèrent de 1662 à 1673, en alternance avec les Comédiens Italiens. Puis Lully en fit un opéra, ce qu'il resta jusqu'à l'incendie qui le ravagea en 1781. Cinq ans plus tard, Louis-Philippe d'Orléans, alors propriétaire du Palais-Royal, fit reconstruire par l'architecte Victor Louis un théâtre à l'italienne : l'actuelle salle Richelieu, que l'on appelle aujourd'hui communément la Comédie-Française. L'histoire de la troupe, elle, ne débuta qu'en 1681. Constituée par les compagnons de Molière, huit ans après la mort du maître, elle erra de salle en salle jusqu'à ce qu'en 1799, le gouvernement du Consulat lui attribuât la salle Richelieu qu'elle ne devait plus quitter. La Comédie-Française reste aujourd'hui la seule scène nationale entretenant une troupe permanente. L'administrateur de la maison est nommé par l'État. Mais les comédiens s'autogèrent, selon des statuts qui n'ont que peu bougé depuis que Napoléon les fixa par le décret dit « de Moscou » en 1812. La légende veut que l'Empereur ait pris ce décret en pleine campagne de Russie. Mais il semble qu'en réalité, il ne l'ait rédigé qu'à son retour, puis antidaté pour signifier que, même à des milliers de kilomètres, il n'oubliait pas les affaires de la France.

PARIS ⁂ AUTREFOIS & AUJOURD'HUI

A MOLIÈRE

GLOIRE FRANÇAISE.

VIEILLE RUE
TRAVERSIÈRE.

PALAIS DE JUSTICE
Ier arrondissement

Au début du XIe siècle, les rois capétiens firent bâtir un palais sur l'île de la Cité, à la fois résidence royale et siège des institutions du pouvoir. En 1358, une révolte du palais effraya tant le futur Charles V, qu'il délaissa cette résidence pour le Louvre. Les rois n'y reviendraient plus. Mais le Parlement, à l'époque cour de justice, la Chancellerie et la Chambre des comptes continuèrent à y siéger. À la Révolution, le Parlement et les tribunaux de l'Ancien Régime furent révoqués par l'Assemblée constituante. Le Tribunal révolutionnaire installé à leur place au palais condamna à la chaîne jusqu'en 1795, où ses membres furent eux-mêmes envoyés à la guillotine. Peu après son coup d'État en 1799, le futur Napoléon Ier entreprit une rénovation des bâtiments. Achevés seulement en 1870, les travaux durent être repris après l'incendie allumé par les communards en 1871. Le palais de Justice acquit son visage actuel en 1914. Il reste aujourd'hui le théâtre de procès retentissants, puisqu'il abrite les plus hautes instances judiciaires : la cour d'assises, la cour d'appel et le tribunal de grande instance de Paris, ainsi que la Cour de cassation.

AUTREFOIS · PARIS · AUJOURD'HUI

BERRYER

PALAIS DE JUSTICE

PARLEMENT

CONCIERGERIE

Ier arrondissement

Elle est un vestige du palais de la Cité, résidence royale au Moyen Âge, et a conservé le nom de son attribution d'origine. Là officiait en effet le concierge du palais, chef de la police et de la justice à Paris. Au XIVe siècle, Charles V délaissa sa résidence insulaire au profit du Louvre et transforma la Conciergerie en prison d'État. De la rive droite, on voit encore aujourd'hui se refléter dans la Seine quatre tours du grandiose bâtiment médiéval. La première d'ouest en est, la tour Bonbec, abritait la sinistre chambre de la question ; la tour d'Argent renfermait le trésor des rois ; la tour de César avait été élevée sur des fondations romaines et la tour de l'Horloge porte depuis 1370 la première horloge publique de Paris. Maintes fois remaniée au fil des siècles, la Conciergerie connut une grande effervescence à la Révolution. Il ne faisait en effet pas bon pénétrer dans sa cour, surtout après l'installation du Tribunal révolutionnaire en 1793 ! « Pailleux », gens de peu entassés sur la paille, ou illustres personnages, comme Marie-Antoinette, Charlotte Corday ou Lavoisier, étaient là confiés aux bons soins du bourreau Sanson et de sa guillotine. La prison accueillit au XIXe siècle d'autres hôtes célèbres : le criminel Lacenaire, l'anarchiste Ravachol, le futur Napoléon III après une tentative de coup d'État... Son classement aux Monuments historiques en 1914 transforma la Conciergerie en musée.

Palais de Justice.

SAINTE-CHAPELLE
Ier arrondissement

En 1239, Louis IX, alias Saint Louis, avait racheté à prix d'or la prétendue couronne d'épines du Christ à des Vénitiens. Deux ans plus tard, il acquit auprès de Baudouin II, dernier empereur latin de Constantinople, des fragments de la sainte Croix et d'autres reliques de la Passion. Voilà qui méritait l'édification d'un lieu dédié à ces précieux trésors : ce serait la Sainte-Chapelle, consacrée en 1248. Le sanctuaire était inclus dans le palais de la Cité, première résidence royale, dont il subsiste seul avec la Conciergerie. Louis IX démontrait ainsi son fin sens politique, en associant le Christ à la couronne de France. Au XVIIIe siècle, Louis XVI avait parfaitement compris la portée symbolique des reliques : en 1791, alors que la Révolution embrasait Paris, il les fit mettre en sûreté à la basilique royale de Saint-Denis. La Sainte-Chapelle connut ensuite plusieurs incendies puis des dégradations à la Révolution et sous l'Empire. L'édifice actuel est un monument restauré au XIXe siècle. Plusieurs architectes travaillèrent à cette rénovation de 1836 à 1857, dont le grand Eugène Viollet-le-Duc. Ils apportèrent quelques ajouts, tels la flèche du clocher et les décors intérieurs à fleurs de lys, qui n'ont sans doute jamais existé dans l'édifice médiéval. Ce qui n'empêche pas d'en apprécier la beauté.

SAINT LOUIS fonde la Sainte-Chapelle pour y déposer
la couronne d'épines.

PONT-NEUF
Ier arrondissement

En dépit de son nom, il est le plus ancien pont parisien. Certes, la capitale en possédait d'autres, aujourd'hui disparus, avant son achèvement en 1607. Mais celui-là présentait bien des innovations : des pierres à la place du bois, aucune maison sur son tablier, ni de couverture et, surtout, des trottoirs. Il reliait les deux rives en traversant la pointe ouest de l'île de la Cité. Les riverains le baptisèrent Pont-Neuf, et le sobriquet lui resta. Il faillit pourtant s'appeler « pont des Pleurs », car, le jour de l'ouverture des travaux, Henri III enterrait plusieurs de ses mignons qui s'étaient entretués dans un duel mémorable. Pour cause de troubles religieux et politiques, la construction connut une interruption de dix ans, ce qui nuisit à la rigueur de son alignement. Henri IV lui adjoignit l'élégante place Dauphine. Mais le bon roi Henri ne vit pas sa statue équestre, première effigie sur la voie publique, puisqu'elle fut érigée sur le terre-plein de l'île quatre ans après son assassinat. Le plomb de cette œuvre de l'Italien Jean de Bologne fondue à la Révolution finit en canons. Une statue sur le même modèle lui succéda en 1818. Aujourd'hui, il ne reste rien de la pompe de la Samaritaine, première machine élévatrice d'eau de la capitale, qui se trouvait sur le pont. Ni, rive gauche, de la prairie dite Pré-aux-Clercs, rendez-vous des duellistes.

PONT ROYAL

Ier arrondissement

On franchissait la Seine à cet endroit depuis 1550 avec un bac — d'où le nom de la rue du Bac, rive gauche. Un premier pont en bois fut construit en 1632 aux frais du financier Barbier. Il était réservé aux piétons et aux cavaliers, qui devaient s'acquitter d'un péage. Il portait alors le nom de son financeur. Il devint ensuite pont Saint-Anne, en hommage à la reine Anne d'Autriche, épouse de Louis XIII, puis pont Rouge, en référence à la peinture qui le recouvrait. La fragilité du bois l'exposait à tous les maux : il fut coupé par les eaux, incendié et emporté par les crues. Toutes ces catastrophes décidèrent Louis XIV à construire aux frais de la Couronne un pont en pierre, dont il confia les plans à Jules Hardouin-Mansart. L'ouvrage s'appela alors pont Royal. À la Révolution, le gouvernement le rebaptisa pont National. Encore serviteur de la République, Napoléon Bonaparte fit disposer sur ce pont les canons qui sauvèrent les Tuileries de l'insurrection royaliste du 13 vendémiaire an IV (5 octobre 1795). En vertu de quoi, il le fit nommer pont des Tuileries. En 1814, Louis XVIII rendit au pont son ancienne appellation, qui lui est restée depuis. Aujourd'hui, le pont Royal conserve la mémoire des crues historiques, inscrites sur la dernière pile de chaque rive.

AUTREFOIS PARIS AUJOURD'HUI

PONT ROYAL

LOUVOIS

LA FRÉGATE-ÉCOLE

PLACE VENDÔME
Ier arrondissement

Si la place Vendôme reste l'une des plus touristiques de Paris, elle le doit aux alléchantes vitrines de ses joailleries. Mais le luxe règne ici depuis le commencement. Quand Louis XIV décida la création de cette place, il voulait en effet un espace aéré et grandiose, où la monarchie absolue étalerait son faste. Pour réaliser son projet, il jeta son dévolu sur un terrain de 8 hectares appartenant au duc de Vendôme, dont il planifia l'aménagement avec son architecte Louis Hardouin-Mansart. Hélas, le monarque n'eut pas les moyens de ses ambitions et dut céder le chantier en cours à la Ville de Paris. Sa statue équestre trôna cependant au milieu de la place, rapidement habitée par des nobles très fortunés de la capitale. Les révolutionnaires furent extrêmement heureux à l'idée de la déboulonner en 1792. Vingt ans plus tard, Napoléon fit ériger à la place une colonne de 44 mètres de haut, faite du plomb fondu des canons pris aux ennemis à la bataille d'Austerlitz – 1 200, selon l'Empereur, et 130, selon les historiens ! Les régimes qui suivirent élurent la place comme cadre de commémorations. Ce qui eut pour effet de désigner la colonne Vendôme à la vindicte des communards, qui l'abattirent en 1871. La IIIe République releva le monument, et on présenta la facture de la nouvelle colonne à Gustave Courbet, accusé d'avoir fomenté sa destruction pendant la Commune. Le peintre préféra l'exil en Suisse, plutôt que d'acquitter sa dette.

PARIS — LA COLONNE VENDÔME.

PLACE DU CHÂTELET

Ier arrondissement

À la fin du IXe siècle, Charles le Chauve jugea prudent de renforcer la défense des ponts en bois desservant l'île de la Cité. Il fit donc construire deux châtelets, ou petits châteaux, sur chaque rive pour les protéger. Le Grand Châtelet protégeait le pont au Change, sur la rive droite. L'édification d'une enceinte fortifiée par Philippe Auguste au XIIe siècle rendit sa fonction inutile. S'y installa alors la prévôté de Paris, qui rassemblait police et justice. Le bâtiment disposait d'une prison réputée pour ses salles de torture, telle la chambre d'Hypocras, en forme d'entonnoir renversé, qui obligeait les détenus à se tenir courbés. Les abords du Grand Châtelet, sinistres et insalubres, n'avaient pas meilleure réputation. Le quartier changea radicalement en 1802, quand Napoléon Ier ordonna de raser la forteresse au profit d'une nouvelle place, qu'il agrémenta de la fontaine dite « de la Victoire ». Sous le second Empire, le baron Haussmann chargea l'architecte Gabriel Davioud de construire sur cet espace public deux théâtres en vis-à-vis. Le théâtre du Châtelet deviendrait dans les années 1920 le temple de l'opérette. Le théâtre lyrique, devenu Sarah-Bernhardt quand la comédienne en fit l'acquisition en 1898, se nomme aujourd'hui Théâtre de la Ville.

PLACE DU CHATELET, COLONNE DE LA VICTOIRE

PALAIS BROGNIART

IIe arrondissement

À Paris, les transactions financières s'effectuaient, au Moyen Âge, sur le pont au Change. L'extension des échanges commerciaux, notamment la traite négrière au cours du XVIIIe siècle, attisèrent le goût de la spéculation. Mais quand la banqueroute du banquier John Law ruina le pays en 1720, Louis XV décida de réglementer les échanges : il créa en 1724, à l'hôtel de Nevers, près du Palais-Royal, la première Bourse de Paris, sur le modèle londonien. En 1807, Napoléon Ier commanda un nouvel édifice à l'image de ses ambitions, grandiose, entouré de colonnes à l'extérieur et abondant en dorures dans les salles. Alexandre Théodore Brongniart, maître du néoclacissisme, bâtisseur de nombreux hôtels particuliers parisiens et concepteur du cimetière du Père-Lachaise, en fut l'architecte. Il laissa son nom au palais, mais pas plus que l'Empereur, il n'en vit l'inauguration en 1826. Une des règles de la Bourse créée par Louis XV stipulait que les femmes n'y avaient pas accès. Elle perdura jusqu'en 1967. Le palais Brongniart resta durant un siècle et demi une des grandes places financières du monde. L'informatique le rendit obsolète en 1986. Inscrit l'année suivante aux Monuments historiques, il est géré par GL Events, une société spécialisée dans l'événementiel... elle-même cotée en Bourse !

BOURSE

PLACE DE LA RÉPUBLIQUE

IIIᵉ arrondissement

Cette vaste place rectangulaire date des transformations du baron Haussmann sous le second Empire. Elle accompagnait le percement des actuels boulevards Magenta, Voltaire et de la République. Elle se nommait alors place du Château-d'Eau, d'après une fontaine qui se trouvait là et qui fut remplacée en 1867 par une autre, ornée de lions. Les travaux haussmanniens comprenaient également la construction au nord de la place d'une immense caserne rassemblant les troupes de Paris. Ils entraînaient la destruction des théâtres qui étaient l'âme du quartier, dont le Diorama de Louis Daguerre. En 1879, le gouvernement lança un concours pour l'érection d'un monument dédié à la République, qu'on espérait alors définitive. Les frères Morice le remportèrent. Outre la Marianne en bronze de 9 mètres juchée sur un soubassement de 15 mètres, leur œuvre comprend trois statues représentant la Liberté, l'Égalité et la Fraternité. La place prit son nom actuel au moment du centenaire de la Révolution. Elle devint ensuite le point de rassemblement des manifestations parisiennes. Et, hormis ces jours-là, le domaine des tramways, puis des automobiles. L'aménagement réalisé en 2012 a restitué la place aux piétons. Un retour aux sources, puisque sous Louis XIV, le lieu était dédié à la promenade.

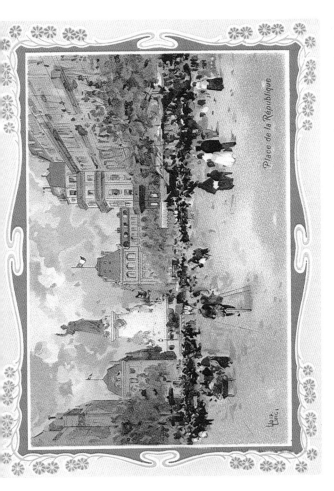

Place de la République.

CONSERVATOIRE DES ARTS ET MÉTIERS
IIIe arrondissement

Depuis la rue du Vertbois, on distingue une tour et l'enceinte de ce qui fut jadis un très puissant prieuré : Saint-Martin-des-Champs. Louis XIV fit adosser aux murs de ce monastère la fontaine du Vertbois, peut-être la première fontaine publique de la capitale. Avec la Révolution, le prieuré devint bien national. L'abbé Grégoire lui offrit alors une seconde vie. En 1794, ce curé révolutionnaire proposa en effet à la Convention de transformer Saint-Martin-des-Champs en Conservatoire des arts et métiers. L'objectif était de lutter contre l'ignorance, de fédérer les techniques et de perfectionner l'industrie nationale. Aussitôt y furent rassemblées les machines les plus innovantes de l'époque. Le conservatoire n'ouvrit pourtant ses portes au public qu'en 1802. Formés par l'abbé Grégoire, des démonstrateurs y expliquaient le fonctionnement des objets exposés. La collection ne cessa ensuite de s'accroître et de se renouveler. Sous le second Empire, la nef de l'église restaurée devint une galerie de machines en mouvement. Fidèle à l'esprit de l'abbé Grégoire, le musée du Conservatoire rénové dans les années 1990 propose toujours des conférences. Le bâtiment abrite aussi un établissement d'enseignement supérieur pluridisciplinaire. Aujourd'hui, le Conservatoire national des arts et métiers, plus connu par son sigle, le CNAM, a essaimé de par le monde.

PARIS AUTREFOIS ET AUJOURD'HUI

TOUR ET FONTAINE DU VERT-BOIS — LA VICTOIRE — CONSERVATOIRE DES ARTS ET MÉTIERS

QUARTIER DU TEMPLE
IIIe arrondissement

La forteresse bâtie par les Templiers sous Saint Louis connut la célébrité sous la Révolution : la grande tour du Temple devint la prison de la famille royale de 1792 à son exécution en 1793. Napoléon la fit démolir en 1808 parce que les royalistes l'avaient choisie comme lieu de rendez-vous. À la même époque furent édifiées les baraques en bois du Carreau du Temple, marché dévolu aux tissus et aux fripes. Elles furent remplacées en 1883 par des halles dans le style de celles de Baltard. Au début du XXe siècle, les puces de Saint-Ouen concurrencèrent le Carreau, qui perdit progressivement son intérêt. Aujourd'hui, seuls deux pavillons ont survécu, grâce à la mobilisation des habitants. Près de là, le boulevard du Temple, tracé à la fin du XVIIe siècle, fut surnommé au XIXe siècle, le « boulevard du Crime ». Attention, on ne s'y faisait pas détrousser ! Mais bourgeois et gens du peuple s'y rendaient pour se régaler des mélodrames donnés dans les quelque vingt-cinq théâtres qu'il abritait. En 1860, un journaliste s'était même amusé à calculer qu'il s'y était déroulé 151 702 crimes divers, mais tous avaient été perpétrés sur scène ! L'ambiance de liesse du boulevard fut magnifiquement restituée par *Les Enfants du paradis*, un film de Marcel Carné de 1945. Hélas, le baron Haussmann y mit fin en 1882. Sa reconstruction de Paris passait par l'anéantissement des théâtres. Et aucune manifestation ni pétition ne purent arrêter la décision du préfet de Paris.

PARIS

AUTREFOIS — AUJOURD'HUI

TOUR DU TEMPLE. — MARCHÉ DU TEMPLE.

A BÉRANGER

HÔTEL CARNAVALET

IIIe arrondissement

L'un des plus anciens hôtels particuliers du Marais compte aussi parmi les rares exemples d'architecture Renaissance à Paris. Pierre Lescot, qui travaillait à la rénovation du Louvre avec le sculpteur Jean Goujon, en dirigea la construction à partir de 1548 pour Jacques des Ligneris, président au parlement de Paris. Françoise de Kernevenoy l'acquit en 1578. Son nom breton fut déformé en Carnavalet et attribué à l'hôtel dès lors. Au XVIIe siècle, le bâtiment connut des transformations dirigées par François Mansart, précurseur de l'architecture classique en France. Cet architecte s'adjoignit le sculpteur bruxellois Gérard van Obstal pour orner les façades des étages. C'est dans ce somptueux décor que la marquise de Sévigné installa son domicile parisien de 1677 à sa mort, en 1696. La Révolution fit de l'hôtel un bien national, occupé dans un premier temps par l'École des ponts et chaussées. En 1866, le baron Haussmann suggéra à la Ville de l'acquérir pour y rassembler ses collections municipales, éparpillées dans divers endroits. Créé en 1880, le plus ancien musée municipal compte aujourd'hui quelque six cent mille pièces. Peintures, affiches, photos, sculptures, objets, vestiges archéologiques, intérieurs reconstitués n'y parlent que d'un seul sujet : Paris.

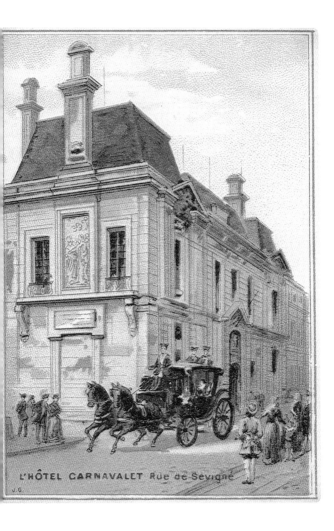

L'HÔTEL CARNAVALET Rue de Sévigné

J.G.

HÔTEL DE CLISSON

IIIe arrondissement

Olivier V de Clisson était un puissant seigneur breton, compagnon d'armes de Bertrand Du Guesclin,
auquel il succéda à la charge de connétable de France,
autrement dit de chef des armées, en 1380. Ce titre
ouvrait le droit de s'approprier une partie des butins
de guerre. Richissime, ce Breton se fit ainsi bâtir un
hôtel parisien, qu'il garnit abondamment de meubles
et d'œuvres d'art. Un autre guerrier prit possession
des murs en 1556 : François de Lorraine, duc de Guise,
pourfendeur acharné des huguenots. Avec sa femme,
Anne d'Este, il fit reconstruire les bâtiments délabrés et
agrandit considérablement la propriété. Le Primatice,
prestigieux artiste italien, présida à la décoration. À
la mort de Marie de Guise en 1688, les héritiers vendirent l'hôtel à François de Rohan-Soubise. L'épouse de
ce seigneur, Anne de Rohan-Chabot, était la maîtresse
de Louis XIV. De cette relation adultère, le couple tira
des largesses qui lui permirent d'entreprendre des travaux ambitieux, tandis que son fils, le futur cardinal de
Rohan, se faisait construire son propre hôtel particulier,
juste à côté. L'État acquit en 1808 les deux hôtels. Celui
dit « de Clisson », puis « de Guise » et « de Soubise »
reçut alors les archives impériales de Napoléon Ier, puis
les archives nationales à partir de 1848. Une partie y est
encore conservée. Rue des Archives, on peut toujours
admirer aujourd'hui les derniers vestiges de la bâtisse
médiévale : la porte fortifiée et ses tourelles.

LES TOURELLES DE L'HÔTEL CLISSON Rue des Archives

HÔTEL DE VILLE
IVᵉ arrondissement

La place de l'Hôtel-de-Ville s'appelait jusqu'en 1803 place de Grève. Théâtre des supplices et exécutions sous l'Ancien Régime, elle était aussi le rendez-vous des chômeurs. L'expression « se mettre en grève » emprunte d'ailleurs son origine à cet endroit, même si, à l'époque, on y venait pour trouver un employeur, et non pour contester ses conditions de travail. C'est à Étienne Marcel, prévôt des marchands de Paris sous le règne de Jean le Bon, qu'on doit la localisation des institutions municipales sur cette place, où il acheta en 1357 la maison dite « aux piliers » afin de les y loger. Remplacé par un luxueux palais à la Renaissance, puis agrandi et enrichi jusqu'au règne de Louis-Philippe, ce bâtiment renfermait de très précieuses archives, qui partirent en fumée sous la Commune. L'Hôtel de Ville, entièrement détruit par les flammes, fut reconstruit en 1882, pratiquement à l'identique. Il arbore aujourd'hui une façade néo-Renaissance, où cent huit niches abritent les statues de personnalités nées à Paris. Les intérieurs sont fastueux. On peut les découvrir en se rendant aux expositions ou aux salons, mais aussi en assistant au conseil de Paris, ouvert au public.

PARIS Autrefois et Aujourd'hui

À ÉTIENNE MARCEL LA VILLE DE PARIS

HÔTEL DE VILLE

PLACE DE GRÉVE

BAZAR DE L'HÔTEL DE VILLE

IVe arrondissement

Monté chercher fortune à Paris en 1852, le quincaillier lyonnais Xavier Ruel recrute des camelots pour écouler un stock de bonneterie. Il repère vite le meilleur point de vente : le quartier de l'Hôtel de Ville. Il ouvre donc une boutique rue de Rivoli. La chance va lui sourire en 1855 : Ruel maîtrise les chevaux de l'attelage de l'impératrice Eugénie qui s'emballe juste devant son pas de porte. Son acte de courage lui vaut une récompense, grâce à laquelle il agrandit son magasin selon la voie ouverte par Aristide Boucicaut et son Bon Marché. La vogue des grands magasins bat en effet son plein dans la capitale du second Empire. Xavier Ruel se distingue cependant de ses concurrents par son intérêt pour les questions sociales. Pendant la Commune, il fera distribuer du pain aux indigents. Il crée aussi pour ses employés des caisses de soutien et de retraite, et un dispensaire. Cette tradition lui survivra, puisqu'au cours du glacial hiver 1954, le Bazar de l'Hôtel de Ville soutient l'action de l'abbé Pierre pour les pauvres. En 1923, le succès du Salon des appareils ménagers inspire au Bazar la spécialisation qui restera la sienne jusqu'à aujourd'hui : l'aménagement et le confort de la maison. Il devient aussi le temple de l'outillage, où se pressaient les bricoleurs jusqu'à l'ouverture de grandes surfaces spécialisées dans les années 1990. Signe de l'attachement des Parisiens, le Bazar de l'Hôtel de Ville est le plus souvent nommé par son acronyme : BHV.

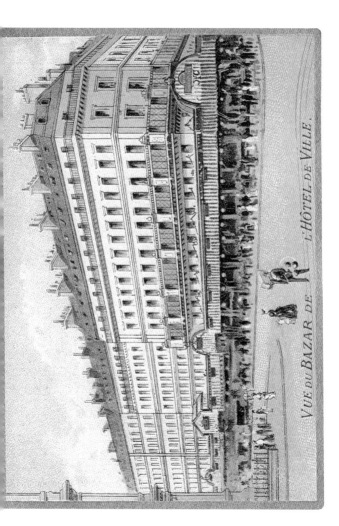

VUE DU BAZAR DE L'HÔTEL DE VILLE.

TOUR SAINT-JACQUES

IVᵉ arrondissement

La tour est protégée par le square Saint-Jacques, contigu à la place du Châtelet. Elle fut édifiée au XVIᵉ siècle dans un style gothique flamboyant. Son carillon à douze cloches faisait entendre, dit-on, un son particulièrement harmonieux. Elle a survécu à la destruction, durant la Révolution, de son église, Saint-Jacques-de-la-Boucherie, ainsi nommée parce que la confrérie des bouchers établie dans le quartier la finança. Ce sanctuaire daterait de 1060. Dédié à saint Jacques le Majeur, il était un point de départ du pèlerinage vers Compostelle. Au XIVᵉ siècle, l'artiste et supposé alchimiste Nicolas Flamel possédait deux ateliers adossés à son enceinte. Découvrit-il, comme le prétend la légende, le secret de la pierre philosophale qui apportait l'éternité et le pouvoir de transmuter le plomb en or ? Nul ne le sait. Mais toujours est-il qu'il fit profiter l'église de sa colossale et bien réelle fortune sous forme de généreux dons. Au XVIIᵉ siècle, le philosophe et scientifique Blaise Pascal aurait gravi les 52 mètres de la tour pour poursuivre ses expérimentations sur la pression atmosphérique. C'est d'ailleurs pour honorer sa mémoire qu'elle aurait été épargnée lors de la liquidation de l'église sous la Révolution. Une statue en son hommage placée à l'intérieur semble le confirmer. La tour Saint-Jacques bénéficia de la fièvre restauratrice du second Empire. Elle reste aujourd'hui un monument fragile, qui a nécessité plusieurs consolidations.

Tour St Jacques.

PLACE DES VOSGES
IVe arrondissement

L'hôtel des Tournelles, propriété royale, occupait la place des Vosges depuis le XIVe siècle. Quand Henri II blessé dans un tournoi y décéda, sa veuve Catherine de Médicis en ordonna la destruction. Un marché aux chevaux occupa ensuite les lieux, où se rencontraient aussi les duellistes. À cette époque, la capitale manquait déjà d'espaces verts. Aussi Henri IV décida-t-il la création d'une place dévolue aux fêtes à cet endroit. Les meilleurs architectes conçurent trente-six pavillons avec arcades, dont ceux du roi et de la reine, plus élevés, ponctuaient l'élégante symétrie. Le succès de la place fut immédiat. Les nantis du royaume firent construire des hôtels à proximité, débutant ainsi le développement du quartier du Marais. De tout temps, la place fut l'abri de grands personnages. Ainsi, Madame de Sévigné naquit au n° 1 bis et Madame de Sablé, chef de file des précieuses, ces femmes savantes caricaturées par Molière, y tint salon. Bossuet, Théophile Gautier, Alphonse Daudet, Colette et Georges Simenon y résidèrent aussi. Au n° 6, Victor Hugo occupa de 1832 à 1848 l'ancien hôtel de Marion Delorme, courtisane célèbre sous Louis XIII, dont il avait fait l'héroïne d'un de ses drames. Dans cette maison devenue aujourd'hui musée, est reconstitué l'intérieur du géant de la littérature, qui témoigne de son goût pour la décoration.

PLACE DES VOSGES, LOUIS XIII

NOTRE-DAME DE PARIS

IVe arrondissement

La pointe ouest de l'île de la Cité héberge un lieu de prière depuis les débuts de notre ère. Un temple romain et une basilique dédiée à saint Étienne ont été en effet mis au jour à cet endroit. En 1163, débuta la construction de la cathédrale, que voulait l'évêque de Paris, Maurice de Sully. Elle dura près de deux siècles, le temps que le gothique flamboyant succède au gothique primitif et marque la décoration de l'édifice. Au fil du temps, le plus vaste édifice religieux de Paris servit de théâtre à de nombreux événements de la monarchie. Parmi les mariages, on retiendra celui du huguenot Henri de Navarre, qui était resté à la porte, pendant que la future reine Margot assistait seule à l'office. Devenu ensuite roi et catholique, il estima que « Paris [valait] bien une messe » et pénétra enfin dans Notre-Dame. Autre événement marquant : en 1804, Napoléon Ier s'y couronna lui-même empereur. Éprouvée par les intempéries et les outrages des hommes, la cathédrale menaçait ruine quand Victor Hugo publia *Notre-Dame de Paris* en 1831. L'immense succès populaire du roman attira l'attention sur ce trésor du patrimoine national. En 1844, le roi Louis-Philippe confia alors l'indispensable rénovation de l'édifice à Eugène Viollet-le-Duc. L'architecte fit restituer flèche, sculptures, orgue et vitraux, selon sa méthode scrupuleuse. Il ne put cependant se retenir d'ajouter sa touche personnelle : les célèbres chimères.

PARIS A TRAVERS LES ÂGES
NOTRE-DAME DE PARIS

HÔTEL-DIEU
IVe arrondissement

Plus vieil hôpital de Paris, l'Hôtel-Dieu a été fondé au VIIe siècle par saint Landry, évêque de la capitale. Il s'agissait alors davantage d'accueillir les malades que de les soigner. Indigents et pèlerins y trouvaient aussi refuge. Cette hospitalité universelle entraînait une affluence considérable, jusqu'à 9 000 personnes par jour au début du XVIIIe siècle. Les services spécialisés n'existant pas, parturientes, enfants abandonnés, malades contagieux, victimes de la disette et voyageurs s'entassaient pêle-mêle, se partageant les quelques lits mis à leur disposition. La mortalité était phénoménale. La reconstruction totale de l'Hôtel-Dieu fit partie des travaux du baron Haussmann, sous le second Empire. Le nouvel établissement se distingua alors par sa modernité. Fait inusité, il prenait en compte le confort des malades : non seulement, ils étaient installés dans des chambres ne contenant que deux à huit lits, mais ils disposaient aussi d'un agréable jardin intérieur et d'un salon de détente. La circulation avait été pensée de façon à éviter de la fatigue au personnel. Cette conception fut plébiscitée par les médecins de l'époque, mais ses opposants en critiquèrent le coût élevé. Aujourd'hui, on accède toujours à cet hôpital par son entrée principale sur le parvis de Notre-Dame.

AUTREFOIS ✻ PARIS ✻ AUJOURD'HUI

HÔTEL-DIEU

A GERMAIN SÉE

PONT DE L'ÉVÊCHÉ

PONT MARIE
IVe arrondissement

En 1605 , la petite île Saint-Louis commençait à se cou-
vrir d'habitations. L'entrepreneur Christophe Marie
déposa alors un projet de pont pour la relier à la rive
droite. Mais le pouvoir royal ne lui accorda le droit
d'engager les travaux qu'en 1614. Le roi Louis XIII en personne vint assister à la pose de la première pierre. Mais
l'opposition des chanoines du chapitre de Notre-Dame
à la construction retarda l'achèvement de l'ouvrage.
Ce n'est finalement qu'en 1635 que le pont Marie fut
ouvert à la circulation. Comme sur tous les ponts de
cette époque, des maisons y avaient été construites —
cinquante au total ! La discorde régnait entre les propriétaires et l'administration chargée de l'entretien du
pont. L'ouvrage pâtit de cette situation : victime de
négligence, il se fragilisa vite. Résultat : durant la crue
de 1658, deux arches et vingt-deux maisons furent
emportées par les eaux, sans compter les soixante personnes qui périrent au cours de la catastrophe. Le pont
Marie retrouva ses deux arches manquantes en 1670,
grâce à Colbert. Aujourd'hui, il a conservé son aspect
du XVIIe siècle, avec ses huit niches vides qui n'ont
jamais abrité de statues.

PARIS Autrefois et Aujourd'hui

THÉSÉE COMBATTANT LE CENTAURE
GROUPE DE BARYE

LE PONT MARIE

HOTEL DE SENS

PANTHÉON
Ve arrondissement

En août 1744, Louis XV est à Metz, d'où il dirige ses armées engagées sur le front de l'est, quand il tombe gravement malade. Les médecins le donnent pour perdu. Il promet alors solennellement que, s'il survit, il fera rebâtir l'église dédiée à sainte Geneviève, patronne de Paris. Il se rétablit et tient sa promesse : en 1755, il charge le marquis de Marigny, frère de sa favorite, Madame de Pompadour, de la réalisation des travaux. Les plans sont confiés à Jacques Germain Soufflot, mais le gigantisme de son projet déclenche des protestations. Difficultés financières et affaissement du terrain repoussent ensuite l'achèvement complet du nouvel édifice à... 1812. Entre-temps, la Révolution a renversé la royauté, et la Constituante a converti l'église en panthéon dédié à la conservation des dépouilles des grands hommes. Cette tradition d'honorer de hauts personnages existait déjà à Paris, dans l'église Saint-Étienne-du-Mont. Au Panthéon, le choix des hommes à y enterrer varia selon les régimes en place. Voltaire, Rousseau et Soufflot sont les premiers à y entrer. Après les nobles, les militaires et les ecclésiastiques, les héros de la Révolution et de l'Empire furent admis des gloires littéraires, scientifiques ou politiques : Victor Hugo, Émile Zola, Alexandre Dumas, André Malraux, Jean Jaurès, Jean Moulin... Parmi les élus auxquels la patrie témoigne sa reconnaissance, il n'y a que deux femmes : les scientifiques Marie Curie et Sophie Berthelot.

PARIS ✳ AUTREFOIS & AUJOURD'HUI

SOUFFLOT

SAINT ÉTIENNE DU MONT.

LE PANTHÉON.

LA SORBONNE
Vᵉ arrondissement

Robert de Sorbon, chapelain et confesseur de Saint Louis, fonda en 1253 un collège de théologie, qu'il inclut dans l'université de Paris. Il y formait les clercs destinés à diriger les institutions de l'État et de l'Église. Bientôt dénommé Sorbonne, le collège se devait d'accueillir des pensionnaires venus de toute la France, fussent-ils pauvres. Aussi se dota-t-il de bâtiments prévus pour une vingtaine d'étudiants. Le confort y était spartiate. Heureusement, les clercs trouvaient aux tables des tavernes du bouillonnant Quartier latin de quoi oublier leur rude vie. Au XVIIᵉ siècle, les lieux étant devenus trop exigus, Richelieu, ancien élève et proviseur du collège, entreprit une reconstruction de la Sorbonne. Il ne vit pas l'achèvement de son ambitieux projet, mais sa dépouille repose toujours dans la chapelle qu'il avait prévue pour recevoir son tombeau. À la Révolution, la fermeture de la Sorbonne pendant une décennie aggrava la vétusté des bâtiments. Les rénovations du XIXᵉ siècle n'eurent aucun effet jusqu'à ce que l'architecte Henri-Paul Nénot, mandaté par la IIIᵉ République, rasât tout, excepté la chapelle. Les nouveaux bâtiments aux lignes néoclassiques ouverts en 1901 deviendraient plus de soixante ans plus tard l'épicentre de la révolte estudiantine de Mai 1968.

Costume
de paysan
Sous Louis XIII

La Sorbonne fondée par Robert de Sorbon,
reconstruite par Richelieu, en 1629.

THERMES ET HÔTEL DE CLUNY

Vᵉ arrondissement

Les vestiges des thermes dits « de Cluny » ne repré-
senteraient qu'un tiers de la surface des bains publics
gallo-romains. Ils témoignent de la Lutèce antique, par-
tagée entre l'île de la Cité et les abords de la montagne
Sainte-Geneviève, sur la rive gauche. Au XIIIᵉ siècle, les
bénédictins de Cluny, en Bourgogne, appuyèrent leur
première résidence abbatiale à Paris sur ces vestiges.
La naissance des premières universités les attirait dans
la capitale, plus précisément au Quartier latin, où ils
fondèrent un collège. À la fin du XVᵉ siècle, le puissant
abbé Jacques d'Amboise fit construire un nouvel hôtel,
où le futur François Iᵉʳ enferma sous surveillance en
1514 la jeune veuve de son prédécesseur, Louis XII. Au
XVIIᵉ siècle, l'hôtel de Cluny devint la nonciature des
légats du Vatican. Parmi ces ambassadeurs du pape, un
certain Giulio Mazarini, arrivé en France en 1634, connaî-
trait une brillante carrière politique sous le nom de
cardinal de Mazarin. Au siècle suivant, s'installa dans la
chapelle de l'hôtel Nicolas Léger Moutard, l'imprimeur-
libraire de Marie-Antoinette, qui deviendrait un fer-
vent partisan de la Terreur. Vendu comme bien national
à la Révolution, l'hôtel passa ensuite entre plusieurs
mains. En 1833, Alexandre du Sommerard y commença
une précieuse collection d'objets d'art médiéval. Son
fils Edmond sera le premier conservateur du musée
national du Moyen Âge créé en 1843 dans les murs des
thermes et de l'hôtel de Cluny.

PARIS Autrefois et Aujourd'hui

CLUNY

DE SOMMERARD

LES THERMES

PONT SAINT-MICHEL
Ve arrondissement

En 1378, le parlement de Paris, le prévôt et les bourgeois de la ville, ainsi que le chapitre de Notre-Dame, s'associèrent pour construire un pont reliant les abords du palais des rois, alors situé sur l'île de la Cité, à la rive gauche. Des vagabonds ramassés dans les rues furent employés comme main-d'œuvre. Mais leur travail suivit si peu les règles de l'art que, durant l'hiver 1408, les glaces de la Seine, qui avait gelé, emportèrent ce premier pont en pierre. Un pont en bois en prit immédiatement la place. On le baptisa Saint-Michel en référence à la chapelle éponyme, toute proche. Heurté par un bateau en 1547, il s'effondra avec ses dix-sept maisons. Le suivant, également en bois, ne résista pas à la crue de 1616. Deux ans plus tard, la construction d'un pont en pierre fut entreprise. Celui-ci résista jusqu'au milieu du XIXe siècle, mais il était si vétuste et si étroit que Napoléon III décida de le remplacer en 1857. L'empereur confia l'ouvrage aux ingénieurs Paul Vaudrey et Paul Martin Gallocher de Lagalisserie, auxquels on doit de nombreux ponts parisiens du second Empire. Aujourd'hui, le pont Saint-Michel s'appuie sur trois arches. Son contemporain, le pont au Change, qui franchit la Seine dans son alignement de l'autre côté de l'île de la Cité, a été reconstruit en 1860 sur le même modèle. Tous deux sont décorés de l'insigne impérial : un « N » entouré d'une couronne de lauriers.

LE PONT SAINT MICHEL EN 1390

SÉRIE DES PONTS DE PARIS.

CHARLES V

(1364-1380)

ASPECT ACTUEL

PLACE MAUBERT
Vᵉ arrondissement

La place Maubert, aujourd'hui animée par un marché populaire débordant sur le boulevard Saint-Germain, a connu une histoire tumultueuse. Son nom évoquerait Albert le Grand : cet érudit du XIIIᵉ siècle, qui attirait plus d'étudiants que n'en pouvait contenir la jeune université de Paris, enseignait en plein air à cet endroit. Selon d'autres sources, il proviendrait de l'abbé d'Aubert, qui céda des terres de l'abbaye Sainte-Geneviève pour ouvrir la place. Une statue d'Étienne Dolet ornait les lieux de 1889 à 1942, où les autorités de la France occupée la détruisirent. La liberté de pensée de cet imprimeur humaniste ne plaisait pas davantage aux représentants du maintien de l'ordre de Pétain qu'à la police de François Iᵉʳ, qui y avait fait brûler vif cet homme avec ses livres. Outre des imprimeurs diffusant des écrits en faveur de la liberté de conscience, on y brûla aussi des protestants. Ces événements tragiques firent de la place Maubert un symbole pour les défenseurs de la laïcité qui, dans les années 1890, s'y donnaient rendez-vous le premier dimanche d'août. En face de la place, fut construite en 1930 la Maison de la mutualité, ou « Mutu », haut lieu des meetings contestataires dans les années 1970. Elle comptait à l'origine le nombre symbolique de 1 789 places.

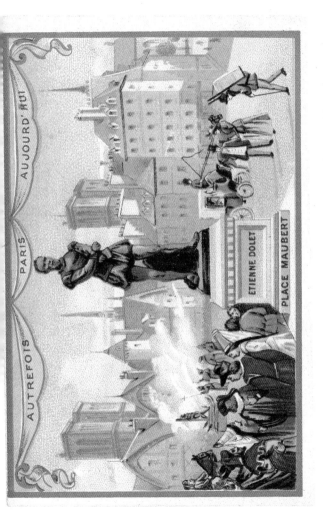

AUTREFOIS — PARIS — AUJOURD'HUI

ETIENNE DOLET

PLACE MAUBERT

QUAI SAINT-BERNARD
V^e arrondissement

Appelé à l'origine vieux chemin d'Ivry, l'endroit devint au XVIIe siècle le quai de la Porte-Saint-Bernard, du nom d'une des portes de l'enceinte de Philippe Auguste. C'était à cette époque un lieu de baignade à la mode. Henri IV aimait, dit-on, y venir en compagnie de son fils, le futur Louis XIII, pour lui apprendre à nager. Ici, on se baignait nu, selon la coutume. En 1680, le prévôt des marchands, cédant aux pressions des pudibonds, l'interdit. À cet endroit, se trouvait aussi un port fluvial très animé. En 1665, Mazarin y ordonna l'établissement de la halle aux vins. D'accès facile et dotée de vastes entrepôts, celle-ci concentra le commerce du vin dans la capitale durant plus d'un siècle. En 1808, la consommation ne cessant d'augmenter, il fallut l'agrandir. La halle Saint-Bernard occupait 14 hectares en 1845. Cela ne suffisait toujours pas, et surtout elle ne permettait pas l'approvisionnement par chemin de fer, qui prenait le pas sur le trafic fluvial. D'autres entrepôts, très vastes, furent alors construits rive droite, à Bercy, obligeant la vieille halle à se spécialiser dans les vins fins et les alcools. Elle ne put pourtant pas résister longtemps à la puissance croissante de la géante de l'autre rive, et périclita dans les années 1930. Dans les années 1970, le quai Saint-Bernard échappa à un projet de voie rapide sur berge. Il accueille aujourd'hui le jardin Tino-Rossi et son musée de la Sculpture en plein air. Aux beaux jours, Parisiennes et Parisiens viennent y danser.

QUAI St-BERNARD

JARDIN DES PLANTES
V^e arrondissement

En 1640, Guy de la Brosse, botaniste et médecin du roi, convainquit Louis XIII de créer le Jardin royal des plantes médicinales. Déclinant déjà sous le règne de Louis XIV, le jardin fut confié à Guy-Crescent Fagon, aidé par Antoine Laurent de Jussieu. Ces deux botanistes surent lui redonner son prestige et sa fonction scientifique. En 1739, ce fut au tour du savant Georges Louis Leclerc de Buffon d'être nommé intendant des lieux. Il transforma le jardin en laboratoire de recherche dédié à l'histoire naturelle. À la Révolution, on rebaptisa les lieux « Jardin des Plantes », et l'on y établit le siège du muséum national d'Histoire naturelle. En 1794, Jacques Henri Bernardin de Saint-Pierre, auteur de *Paul et Virginie*, que de nombreux voyages avaient formé à la zoologie, y créa la ménagerie. Parisiennes et Parisiens affluèrent alors pour s'ébahir devant les éléphants, les singes, les fauves, les phoques et surtout, à partir de 1826, une girafe, la première jamais venue jusqu'à Paris. En 1871, les communards, assiégés et affamés, vinrent aussi visiter la ménagerie, cette fois-ci pas pour admirer les animaux, mais pour les manger. Au XXe siècle, les galeries du musée (zoologie, paléontologie, anatomie comparée, anthropologie, minéralogie et géologie) s'ouvrirent progressivement au public. En 1994, la poussiéreuse galerie de zoologie se métamorphosa en une moderne Grande Galerie de l'évolution, qui attire chaque année des milliers de visiteurs.

PARIS AUTREFOIS ET AUJOURD'HUI

A GEORGES CUVIER

ENTRÉ

LA MÉNAGERIE.

JARDIN DU ROI.

SAINT-GERMAIN-DES-PRÉS

VIe arrondissement

Un bourg se constitua dès le XIIe siècle autour de l'abbaye consacrée par l'évêque Germain, au VIe siècle. Il dépassait les frontières de l'actuel VIe arrondissement et se situait en dehors de l'enceinte de Philippe Auguste. La puissante abbaye de Saint-Germain-des-Prés, farouchement attachée à son indépendance, impulsa son essor en y créant une gigantesque foire en 1483. Au XVIIe siècle, l'érudition des moines donna à leur abbaye une forte aura intellectuelle. Peut-être est-ce la raison pour laquelle les encyclopédistes, Diderot en tête, firent du quartier leur repaire, le siècle suivant. Ils se rencontraient au café Procope, rue de l'Ancienne-Comédie, où ils furent plus tard remplacés par les penseurs de la Révolution. Saint-Germain-des-Prés avait ainsi trouvé sa vocation : le quartier devint le fief des artistes, des écrivains, des éditeurs et des libraires. Entre les deux guerres, on se réunissait, mais aussi on travaillait, dans ses cafés aux noms désormais célèbres : le Flore, les Deux Magots, Lipp, la Rhumerie. Le phénomène culmina dans les années 1950, avec Simone de Beauvoir et Jean-Paul Sartre en vedettes. C'était aussi l'époque des caves de jazz, dont le Tabou, hanté par Boris Vian, Juliette Gréco et Anne-Marie Cazalis. La vie germanopratine a depuis perdu sa pétulance. Les boutiques de luxe ont aujourd'hui envahi les rues de Saint-Germain-des-Prés, remplaçant les maisons d'éditions, jusque-là très présentes.

PARIS ❊ AUTREFOIS & AUJOURD'HUI

DIDEROT

COUR DU DRAGON.

SAINT GERMAIN DES PRÉS.

JARDIN DU LUXEMBOURG

VIe arrondissement

Après la mort de son époux Henri IV en 1610, Marie de Médicis décida de quitter le Louvre. Elle jeta son dévolu sur une propriété de chasse au pied de la montagne Sainte-Geneviève et entreprit d'y reconstituer le décor de sa Florence natale. Elle s'acquit les services de Salomon de la Brosse pour la construction du palais et de Jacques Boyceau pour dessiner les jardins. Mais l'exil de la souveraine en 1631 laissa son œuvre orpheline. Le domaine revint en 1778 au futur Louis XVIII, qui en vendit une partie pour financer la restauration du palais. Entre acquisitions de terrains et percement de nouvelles artères, le jardin du Luxembourg changea encore maintes fois de configuration. Ainsi, le projet haussmannien de son réaménagement l'amputait considérablement. Mais, après s'y être promené, Napoléon III le sauva en partie. C'est son oncle Napoléon Ier qui avait eu l'idée de dédier le jardin aux enfants. De cette époque datent les kiosques et les charrettes, tirées jadis par des chèvres. Aujourd'hui, ce jardin de 23 hectares, doté d'une orangerie, de serres aux collections horticoles rares, de vergers où l'on sauvegarde des variétés anciennes de pommes, de cent six statues représentant cinq siècles de sculpture et d'un grand bassin idéal pour les modèles réduits de voiliers, est l'un des rendez-vous préférés des Parisiens. Il appartient au Sénat, qui siège depuis 1836 dans le palais du Luxembourg.

PARIS AUTREFOIS ET AUJOURD'HUI

PETIT LUXEMBOURG.

FONTAINE DE CARPEAUX.

FONTAINE DE MÉDICIS.

INSTITUT DE FRANCE
VIᵉ arrondissement

À cet endroit s'élevait jadis la tour de Nesles, qui resta dans l'histoire pour avoir abrité les amours illicites de deux brus du roi Philippe le Bel. Le scandale causé par cet adultère bien réel éclata en 1314. Il engendra une légende popularisée par le poète François Villon : celle d'une reine de France précipitant ses amants dans la Seine du haut de la tour. L'édifice fut détruit en 1663 pour faire place à la bibliothèque Mazarine, annexe du collège des Quatre-Nations. Le cardinal Mazarin avait décidé de fonder cette institution trois jours avant sa mort, pour y instruire gratuitement des jeunes gens venus des quatre provinces récemment annexées à la France : Artois, Alsace, Roussillon et Savoie. Colbert, son exécuteur testamentaire, avait choisi l'emplacement du nouveau collège, face au Louvre, et son architecte, Le Vau. Les deux pavillons et leur célèbre coupole abritèrent le collège jusqu'à sa fermeture en 1791. En 1805, Napoléon Iᵉʳ décida d'installer dans ces murs les académies, qui siégeaient jusque-là au Louvre. Regroupées au sein de l'Institut en 1795, les académies sont depuis 1832 au nombre de cinq : l'Académie française, celle des inscriptions et belles-lettres, celle des sciences, celle des beaux-arts, celle des sciences morales et politiques.

PARIS

AUJOURD'HUI

AUTREFOIS

INSTITUT

A VOLTAIRE

TOUR DE NESLES.

ÉCOLE DES BEAUX-ARTS

VIe arrondissement

La vocation artistique des lieux est très ancienne. La reine Margot exposa en effet sa collection de chefs-d'œuvre dans la chapelle des Louanges du couvent des Petits-Augustins, qui se dressait à cet endroit. Sa remplaçante auprès d'Henri IV, Marie de Médicis, l'imita. À la Révolution, le couvent devint un dépôt où s'entassaient les trésors confisqués des églises de France. La garde en fut confiée à Alexandre Lenoir en 1795. On doit à cet homme d'avoir préservé d'innombrables statues, bas-reliefs, fragments de façades et tombeaux d'illustres personnages. C'est lui qui fonda là le musée des Monuments français, première exposition permanente ouverte au public. En dépit de la fréquentation, Louis XVIII décida de fermer ce musée. En 1816, le lieu fut alors destiné à abriter l'École des beaux-arts. L'architecte François Debret, chargé de la construction du nouvel édifice, érigea le bâtiment des Loges en 1824. Son élève Félix Duban signa le palais des Études et sa célèbre verrière abritant des copies de maîtres anciens. Les extensions et rénovations du XXe siècle firent de l'École un patchwork architectural non dépourvu de charme. Ses collections s'enrichissent en permanence d'œuvres de ses anciens élèves.

PARIS AUTREFOIS ET AUJOURD'HUI

BATIMENT DES LOGES.

DIANE D'ANET

RUINES & JARDIN DES BEAUX-ARTS.

ÉCOLE DE MÉDECINE
VIᵉ arrondissement

Au XIIIᵉ siècle, la chirurgie, discipline différenciée de la médecine, avait pris ses quartiers dans l'actuelle rue de l'École-de-Médecine. Saint Louis, sur la demande de son chirurgien Jean Pitard, y fit en effet construire une école qui lui était entièrement dévolue. À la Renaissance, cet art progressant considérablement, l'établissement se dota d'une salle d'anatomie indépendante. En 1769, Louis XV chargea l'architecte Jacques Gondoin de son agrandissement. Les deux disciplines, médecine et chirurgie, n'y furent réunies qu'en 1793, sous le gouvernement de la Convention. Appelé à l'origine École de santé, l'établissement devint en 1808 la faculté de médecine de Paris. En 1835, on y ouvrit le musée des Pathologies anatomiques, grâce au legs du professeur Guillaume Dupuytren. Après des projets d'agrandissement restés sans suite, les travaux de la nouvelle faculté débutèrent en 1875. Les bâtiments englobaient ceux du XVIIIᵉ siècle et s'étendaient sur le boulevard Saint-Germain, où une entrée monumentale est encadrée par deux allégories représentant l'une la médecine, l'autre la chirurgie.

PARIS ❊ AUTREFOIS & AUJOURD'HUI

MUSÉE DUPUYTREN.

DUPUYTREN

NOUVELLE ÉCOLE DE MÉDECINE.

HÔPITAL DE LA PITIÉ-SALPÊTRIÈRE

VIe arrondissement

Louis XIV avait donné à la duchesse d'Aiguillon les terrains du Petit Arsenal, dit « Salpêtrière », car on y fabriquait de la poudre à canon. Elle y ouvrit un hospice. En 1684, s'y ajouta une prison pour femmes, la Force, aux épouvantables conditions de détention. On ne se souciait guère de soigner dans cet « hôpital général pour le renfermement des pauvres de Paris », où les indigents côtoyaient les aliénés. Le chirurgien Jacques Tenon, affecté à l'établissement en 1748, tenta d'humaniser les méthodes de soin. Mais, peu de temps après, dans le Paris troublé de la Révolution, la Salpêtrière se transforma en un enfer, où se perpétraient meurtres et viols des internées. L'arrivée de Philippe Pinel en 1794 en fit enfin un lieu de soin. Cet aliéniste bouleversa le regard porté sur les fous, qu'il libéra de leurs chaînes. Jean Étienne Esquirol poursuivit son œuvre. En 1882, la première chaire mondiale des maladies du système nerveux fut créée pour Jean-Martin Charcot, qui fonda à la Salpêtrière une école de neurologie. Tant de sérieux n'empêchait pas la tenue, à la mi-carême, du bal des folles et de celui des enfants épileptiques, où se pressaient des personnalités du Tout-Paris. En 1911, un établissement fut bâti à côté de la Salpêtrière, baptisé Nouvelle-Pitié. Les deux hôpitaux furent réunis en 1964 pour devenir la Pitié-Salpêtrière.

PARIS AUTREFOIS ET AUJOURD'HUI.

PINEL

LE VILLAGE DE LA SALPÊTRIÈRE

GRANDE FAÇADE INTÉRIEURE

TOUR EIFFEL
VIIᵉ arrondissement

Construite sur le Champ-de-Mars pour l'Exposition universelle de 1889 qui célébrait le centenaire de la Révolution française, la tour ne devait rester que vingt ans. Heureusement, son créateur, l'ingénieur Gustave Eiffel, y mena des recherches qui démontrèrent son utilité : expériences sur la résistance de l'air et l'aérodynamisme, observations météorologiques, transmissions radiophoniques puis de télécommunications. À l'inauguration, les Parisiens n'avaient pas tous salué l'érection de cette structure métallique d'un stupéfiant modernisme, qui dominait insolemment la capitale du haut de ses 312 mètres. Ils ne purent bientôt plus s'en passer. De 1900 à 1914, le canon installé au sommet retentissait tous les jours à midi, permettant ainsi à chacun de régler sa montre. L'émetteur radio servit, quant à lui, à l'armée française pour capter des messages ennemis durant la Première Guerre mondiale, dont celui qui démasquerait l'espionne Mata Hari. Rendu à la vie civile, il diffusa des programmes radio dès 1921 et les premiers essais de télévision en 1925. Cette fonction de télédiffusion n'a pas cessé, avec l'adjonction de nouveaux mâts qui font aujourd'hui culminer la tour Eiffel à 327 mètres. Celle que Verlaine traita de « squelette de beffroi », et qui demeura plus de quarante ans le plus haut monument du monde, n'a guère changé depuis sa construction. La parer de jeux de lumières pour les grands événements est resté une tradition.

EXPOSITION UNIVERSELLE 1889 AU PETIT SAINT-THOMAS

PARIS.

CHAMP-DE-MARS

VIIᵉ arrondissement

La bataille de Lutèce s'y serait déroulée en 53 av. J.-C., et les Romains victorieux des Gaulois auraient baptisé cette plaine peu fertile Champ-de-Mars. L'endroit appartenait aux abbayes Sainte-Geneviève et Saint-Germain-des-Prés quand Louis XV le leur racheta en 1751 pour y construire l'École militaire. Situé juste en face de ce nouveau bâtiment, le Champ-de-Mars ferait un excellent terrain de manœuvres. Cependant, comme il ouvrait une splendide perspective vers la Seine, on l'utilisa pour les revues militaires. En 1783, le public s'y invita pour admirer le premier vol en ballon des frères Montgolfier. Quatre ans plus tard, l'agronome Antoine Parmentier y planta ses pommes de terre rapportées du Nouveau Monde, ce qui lança le succès du tubercule. Le 14 juillet 1790, la foule se pressa à nouveau sur le Champ-de-Mars pour assister à la fête de la Fédération, première de nombreuses célébrations républicaines. Napoléon Iᵉʳ y parada encore, puis les gouvernements suivants boudèrent ce lieu symbolique jusqu'à son occupation par les pavillons de l'Exposition universelle de 1867. L'espace se prêtant à merveille à ces grandes manifestations, les expositions de 1878, de 1889, de 1900 et de 1937 l'utilisèrent aussi. De ces installations ne subsiste que la tour Eiffel, édifiée en 1889. Le Champ-de-Mars est devenu un jardin public, où l'on donne concerts de masse et feux d'artifice.

Exposition Universelle de Paris 1878
CHAMP DE MARS

HÔTEL DES INVALIDES

VIIe arrondissement

Comme son nom l'indique, l'hôtel des Invalides eut pour première vocation d'accueillir des soldats revenus éclopés des incessants conflits qui opposaient la France de l'Ancien Régime à ses voisins. Henri IV y avait pensé, Louis XIV le fit. En 1670, il confia le soin de sa construction à son ministre Louvois. L'établissement comprenait un hôpital pour les grands blessés et des ateliers, où les quatre mille pensionnaires produisaient des uniformes et autres ouvrages compensant les frais de leur entretien. Son sanctuaire, l'église Saint-Louis, fut édifié à partir de 1676 sous la direction de Jules Hardouin-Mansart, l'un des architectes de Versailles. La couverture de son dôme utilisa cinq cent cinquante mille feuilles d'or. En 1789, les pensionnaires des Invalides ouvrirent les grilles aux insurgés et leur livrèrent les milliers de fusils entreposés dans le bâtiment. La Ire République, instaurée en 1792, n'hésita pas à utiliser ces vieux soldats dans ses campagnes. En 1804, Napoléon remit là pour la première fois des croix de la Légion d'honneur. Il fit aussi inhumer sous le dôme les maréchaux de Louis XIV, Turenne et Vauban, faisant des Invalides un panthéon militaire. Ses cendres rapportées de Sainte-Hélène rejoignirent ces grands soldats en 1840. Napoléon III fit ensuite creuser une crypte, achevée en 1861, dont le tombeau en porphyre rouge de son oncle occupe le centre.

PARIS AUTREFOIS ET AUJOURD'HUI

NAPOLÉON 1ᵉʳ

L'HOTEL DES INVALIDES

CONSTRUCTION DES INVALIDES SOUS LOUIS XIV

PALAIS BOURBON
VIIe arrondissement

Que l'édifice où siègent les élus de l'Assemblée nationale porte le nom de la dernière dynastie régnante de
France surprend un peu. Le palais fut en effet édifié en
1722 pour la princesse de Bourbon, fille de Louis XIV et
de Madame de Montespan. Confisqué à la Révolution,
il s'appela temporairement « ci-devant Bourbon ». En
1795, le Conseil des Cinq-Cents, assemblée législative
du Directoire, s'y installa. Le palais resterait ensuite au
fil des régimes la Chambre des députés. Les grands
appartements de la princesse furent transformés en
hémicycle. De cette salle inaugurée en 1798, subsistent
le perchoir réservé au président de l'Assemblée et la tri-
bune, d'où parlent les orateurs. En 1800, Bernard Poyet,
architecte de l'église de la Madeleine, reçut mandat de
Napoléon Ier pour refaire la façade. Il conçut un péris-
tyle à douze colonnes, surélevé sur un gradin de trente
marches afin que la vue depuis la rive droite n'en fût
pas gâtée par le bombement du pont de la Concorde.
Le fronton s'ornait d'un bas-relief glorifiant la victoire
de l'Empereur à Austerlitz. Louis XVIII le fit remplacer
par une scène le magnifiant. Louis-Philippe ordonna à
son tour la modification du motif, dédié cette fois à la
France. Il n'y eut plus ensuite de changement majeur
dans la décoration de la façade du palais Bourbon.
L'intérieur connut en revanche des aménagements au
long des XIXe et XXe siècles, pour procurer aux députés
des espaces de travail et de détente.

PALAIS BOURBON

LE BON MARCHÉ

Aristide et Marguerite Boucicaut inventèrent en 1852 le concept de grand magasin. Au Bon Marché, rue de Sèvres, les prix sont fixes et affichés. La clientèle y pénètre et s'y promène à sa guise. Elle y trouve un choix stupéfiant de « nouveautés », ainsi qu'on dénomme alors les articles de mode. Elle peut s'y habiller dans une seule et unique boutique, du chapeau aux souliers en passant par la lingerie et les gants. En 1869, les Boucicaut se lancent dans un agrandissement spectaculaire du magasin, sous la conduite de l'architecte Louis Charles Boileau et d'un des maîtres de la construction métallique, Armand Moisant. Des innovations hardies attirent alors les foules : la garantie qualité, qui permet l'échange ou le remboursement des achats ; la livraison à domicile ; les toilettes pour femmes et le salon de lecture pour leurs accompagnateurs ; la vente par correspondance... En 1877, le Bon Marché emploie trois mille cinq cents personnes, majoritairement des femmes, auxquelles sont consentis de nombreux avantages sociaux. Après la mort d'Aristide Boucicaut, Marguerite fera construire le Lutetia, seul palace de la rive gauche, pour accueillir ses habituées de province. Le Bon Marché s'adressait à l'origine à toutes les femmes, ouvrières comme bourgeoises. Il est aujourd'hui un grand magasin de luxe, intégré au groupe LVMH.

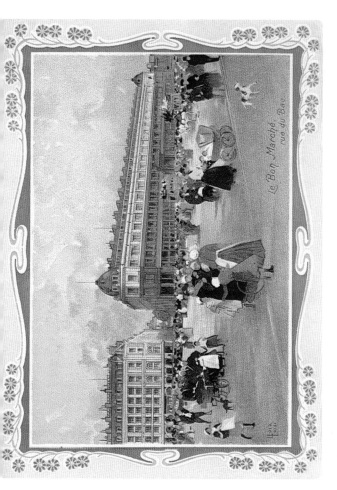

Le Bon Marché, rue du Bac

GARE D'ORSAY
VIIᵉ arrondissement

Le palais d'Orsay, construit à partir de 1810, abrita le ministère des Affaires étrangères, puis la Cour des comptes et le Conseil d'État. Incendié durant la Commune de Paris en 1871, il resta dans un triste état de délabrement jusqu'en 1897. L'État céda alors le terrain à la Compagnie des chemins de fer d'Orléans, qui souhaitait offrir à ses passagers une arrivée proche des lieux de l'Exposition universelle de 1900. Il lui imposa de ne pas pervertir l'environnement très huppé du quai d'Orsay, construit d'hôtels particuliers depuis le XVIIIᵉ siècle et ennobli par le vis-à-vis des Tuileries. L'architecte Victor Laloux choisit une façade classique, derrière laquelle il dissimula des structures métalliques à la pointe du modernisme. Un hôtel était associé au projet, où se tinrent de nombreux banquets et assises de partis politiques. La gare d'Orsay desservait tout le sud-ouest de la France. Mais en 1939, elle fut rattrapée par la technique : ses quais trop courts ne pouvaient plus servir qu'aux trains de banlieue. Centre d'accueil des prisonniers de guerre à leur retour en 1945, asile provisoire du théâtre Renaud-Barrault puis des ventes de l'hôtel Drouot durant sa réfection, le beau bâtiment faillit être démoli en 1973. Son classement aux Monuments historiques le sauva. Il fallut ensuite presque dix ans au projet d'un musée des Arts de la seconde moitié du XIXᵉ siècle pour se concrétiser. Le musée fut inauguré en 1986.

EXPOSITION UNIVERSELLE DE 1900

NOUVELLE GARE D'ORLÉANS

CHAMPS-ÉLYSÉES
VIIIe arrondissement

En 1667, Le Nôtre créa sur ordre de Louis XIV le Grand Cours. Cette allée bordée d'arbres prolongeait la perspective des Tuileries vers l'occident. Elle irait jusqu'à l'actuelle place de l'Étoile en 1724. Le nom de Champs-Élysées donné en 1709, allusion au séjour des héros et des âmes vertueuses dans la mythologie grecque, suggère un lieu paradisiaque. En réalité, on hésitait à s'y aventurer la nuit, car des individus louches fréquentaient ses tavernes ! Plus tard, le Directoire fit élargir cette voie et en chassa les malandrins. Au XIXe siècle, les Champs-Élysées étaient devenus une promenade élégante. Hôtels particuliers, restaurants et panoramas (rotondes avec peinture en trompe l'œil) s'y multiplièrent. Cette époque faste a forgé leur réputation de plus belle avenue du monde. Au XXe siècle, boutiques de luxe puis sièges de société occupèrent progressivement les « Champs », comme on les nomme communément aujourd'hui. L'arrivée du RER en 1970 chassa le luxe au profit d'enseignes populaires internationales. De nos jours, des milliers de touristes arpentent les trottoirs élargis à grands frais en 1994, mais plus personne n'habite sur les Champs-Élysées.

LES CHAMPS ELYSÉES

PALAIS DE L'ÉLYSÉE

VIIIᵉ arrondissement

Quand en 1718, le comte d'Évreux se fit bâtir une résidence à deux pas des Champs-Élysées, l'endroit était champêtre. L'hôtel d'Évreux, chef-d'œuvre d'architecture classique, fut salué comme l'un des plus élégants de Paris. La marquise de Pompadour l'acquit en 1753. Elle le légua à Louis XV, qui y logeait les ambassadeurs extraordinaires. Louis XVI le fit agrandir puis le vendit. À la Révolution, la duchesse de Bourbon, sa nouvelle propriétaire, fut un temps emprisonnée. Lorsqu'elle retrouva son hôtel en 1797, ses moyens ne lui permettaient plus de l'entretenir, aussi en loua-t-elle une partie au négociant Hovyn, qui organisa des bals dans les salons et les jardins. Ces festivités drainaient les promeneurs des Champs-Élysées : le palais y gagna son nom actuel. La fille d'Hovyn, qui avait hérité du palais dans son ensemble, le vendit en 1805 au maréchal d'Empire Joaquim Murat. Neuf ans plus tard, Napoléon Iᵉʳ y signa son abdication. Son neveu, Napoléon III, qui habita le palais des Tuileries, y ordonna d'importants agrandissements pour y loger sa maîtresse, Louise de Mercy-Argenteau. Demeure de prestige destinée aux hôtes de marque, l'Élysée devint résidence officielle des présidents de la République à partir de Maurice de Mac-Mahon, élu en 1873. Les présidents successifs aménagèrent les appartements privés à leur goût, certains, comme Georges Pompidou ou François Mitterrand, faisant appel à des créateurs contemporains.

PARIS Autrefois et Aujourd'hui

CHICORÉE BLEU ARGENT

LES CHEVAUX
DITS DE MARLY

LE PALAIS DE L'ÉLYSÉE

LES CHAMPS ELYSÉES EN 1836

PLACE DE LA CONCORDE
VIIIe arrondissement

En 1748, Louis XV échappa à une maladie présumée fatale. Paris voulut saluer son rétablissement en lui élevant une statue équestre. Sombre terrain vague, le site choisi reliait cependant les Tuileries et les Champs-Élysées. Ce choix s'accordait parfaitement à l'urbanisation croissante et haut de gamme de l'ouest de Paris. Jacques Ange Gabriel, premier architecte du roi et protégé de Madame de Pompadour, conçut une esplanade octogonale où trônait la statue et qui fut baptisée place Louis-XV. À la Révolution, la statue abattue fut remplacée par une allégorie de la Liberté. Sur la place, rebaptisée place de la Révolution, fut dressée la guillotine où périraient plus de mille personnes, dont Louis XVI. En 1836, sur l'impulsion du roi Louis-Philippe, la place prit le nom pacifique de la Concorde et se para d'un monument sans connotation politique : l'obélisque en granit rose offert par le pacha d'Égypte. Deux fontaines furent ensuite ajoutées pour l'embellir. Elles célébraient la Marine française, dont l'administration occupait l'un des deux grands hôtels jumeaux bordant le nord de la place.

PARIS
AUTREFOIS · AUJOURD'HUI

PLACE DE LA
CONCORDE

PLACE LOUIS XV.

GRAND PALAIS
VIIIe arrondissement

À l'Exposition universelle de 1889, Paris a marqué les esprits avec l'époustouflante tour Eiffel. Comment faire mieux pour l'Exposition de 1900 ? L'idée retenue est celle d'un axe républicain, des Invalides à l'Élysée. On sacrifiera le palais de l'Industrie, en service depuis l'Exposition de 1855, pour construire deux nouveaux bâtiments, le Petit Palais et le Grand Palais, qui encadreront la nouvelle voie. Aucun projet ne satisfaisant le jury de l'Exposition pour l'érection du Grand Palais, on demanda à trois architectes de coopérer. Il ne restait alors que trois ans pour réaliser les travaux. Une mauvaise surprise retarda le projet : le sol manquant de résistance, il faudrait construire sur pilotis. Jusqu'à quinze mille ouvriers travaillèrent au Grand Palais. Le résultat fut à la hauteur des efforts. Une structure métallique ayant nécessité quelque 6 000 tonnes d'acier supporte la célèbre verrière de la grande nef. La façade en pierre s'inspire du Louvre. Deux quadriges en bronze de Georges Récipon la couronnent aux angles côté Seine et côté Champs-Élysées. Comme prévu, le Grand Palais abrita ensuite des salons artistiques ou commerciaux. En 1937, il reçut le palais de la Découverte ; puis en 1964, une partie fut aménagée pour accueillir de grandes expositions temporaires. La chute d'un rivet de la charpente en 1993 entraîna la fermeture de la grande nef, qui ne rouvrirait qu'après douze années de réfection.

EXPOSITION UNIVERSELLE 1900

GRAND PALAIS

PETIT PALAIS
VIIIe arrondissement

Le Petit Palais fut construit pour l'Exposition universelle de 1900. L'architecte nivernais Charles Girault
avait remporté le concours ouvert par la Ville de Paris.
Cette commande lancerait sa carrière : son œuvre
séduisit le roi des Belges Léopold II, qui en fit son bâtisseur attitré. Le Petit Palais était dès l'origine destiné à
devenir après l'exposition le palais des Beaux-Arts de la
Ville de Paris. Dans son projet, Girault tint à honorer à
la fois l'art et la ville en impressionnant les visiteurs dès
le pavillon d'entrée. On pénètre en effet dans le palais
par un porche sculpté surmonté d'une coupole, dont
on découvre à l'intérieur la voûte peinte par l'artiste en
vogue Albert Besnard. Ce grandiose vestibule donne
sur un jardin semi-circulaire entouré de colonnades,
autour duquel les quatre bâtiments du palais sont dis-
posés en trapèze. Girault apporta un soin tout particulier aux zones de circulation : il leur offrit des peintures
murales et des pavements en mosaïque. Les travaux
de décoration se prolongeraient jusqu'en 1925, mais le
musée ouvrit ses portes dès 1902. Il recelait déjà un trésor : les vingt mille œuvres cédées par les frères Dutuit,
collectionneurs de Rouen. La collection comprenait
entre autres des dessins et des gravures de maîtres, qui
amorcèrent le considérable fonds d'arts graphiques du
Petit Palais. Dans les années 2000, le musée s'est aussi
ouvert à la photographie contemporaine.

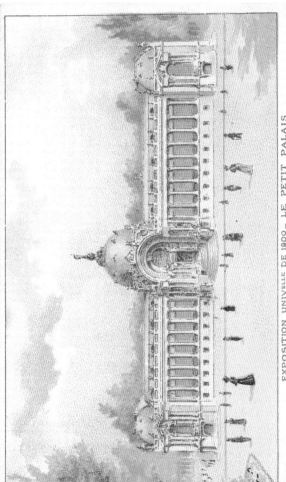

EXPOSITION UNIVELLE DE 1900 – LE PETIT PALAIS

PONT ALEXANDRE-III
VIIIe arrondissement

Rarement première pierre fut posée avec tant de faste ! La cérémonie se déroula en octobre 1896 en présence du tsar Nicolas II. La France voulut honorer feu son père Alexandre III, signataire en 1891 de l'alliance franco-russe. On prévit l'inauguration du pont pour l'Exposition universelle de 1900. L'ingénieur Jean Résal releva le défi. Le pont devait s'aligner dans l'axe qui réunissait les Invalides aux Champs-Élysées. Il sera donc construit légèrement en biais. Pour ne pas gêner la circulation fluviale, on imagina une arche unique sans appui intermédiaire. Les pièces d'acier moulé arrivèrent par la Seine depuis le Creusot, où elles étaient fabriquées. Le caisson pressurisé, invention récente, permit de creuser des fondations dans le lit du fleuve. Les décorations en fonte, d'inspiration aquatique, combinaient à la fonction d'ornement celle de contrepoids. Les plus prestigieux statuaires du temps, comme Jules Dalou, Georges Gardet ou Georges Récipon, se mirent eux aussi au travail. Extraordinairement abondantes, les sculptures allaient par séries : les Renommées, la France, les Lions, les Génies des eaux, les Nymphes, les Amours. Incroyable ! Ce pont somptueux fut achevé dans les délais. Il partage aujourd'hui avec le Grand Palais et le Petit Palais le privilège d'avoir survécu à l'Exposition de 1900.

EXPOSITION UNIVERSELLE 1900

LE PONT ALEXANDRE III

LES BATEAUX-MOUCHES
VIIIᵉ arrondissement

Les premiers Bateaux-Mouches sortirent en 1862 d'ateliers du quartier industriel de Gerland, à Lyon, qu'on surnommait la Mouche. On s'en servait comme transporteurs de marchandises et de personnes. Leur rapidité et le coût modique du billet leur assurèrent un franc succès. En 1867, les organisateurs de l'Exposition universelle commandèrent trente exemplaires de ces bateaux, qui furent acheminés vers la capitale par la Saône, le canal de Bourgogne, l'Yonne et enfin la Seine. Ainsi naquit la Compagnie des Bateaux-Omnibus, dont le trafic était organisé par le préfet de police. Dès 1885, d'autres compagnies lui firent concurrence dans cette activité lucrative. Toutes fusionnèrent l'année suivante sous le nom de Compagnie générale des bateaux parisiens. L'ouverture en 1900 du métropolitain rendit ces navettes fluviales obsolètes, et elles disparurent en 1926. En 1949, convaincu que l'industrie des loisirs se développerait, Jean Bruel fit de l'un des derniers bateaux un navire de promenade, et déposa dans la foulée la marque Compagnie des Bateaux-Mouches. Il inventa pour l'occasion le personnage de Jean-Sébastien Mouche, et fit même rédiger la biographie et sculpter le buste de ce personnage fictif qui aurait été l'inventeur des nouvelles navettes ! Cette idée de génie contribua au triomphe de cette activité touristique. Les Bateaux-Mouches partent aujourd'hui du port de la Conférence, tout près du pont de l'Alma.

LE BATEAU MOUCHE

ÉGLISE DE LA MADELEINE

VIIIᵉ arrondissement

Dès le XIIIᵉ siècle, il y eut une chapelle dédiée à sainte Marie-Madeleine, qui fut remplacée par une église au XVIIᵉ siècle. Un nouveau sanctuaire fut envisagé à la suite de la construction de la rue Royale, qui le reliait à la place de la Concorde. Louis XV en confia les plans à l'architecte Pierre Contant d'Ivry et posa la première pierre en 1763. À la Révolution, l'église montait seulement jusqu'aux chapiteaux, mais les insurgés ne se soucièrent pas de l'achever. Sous l'Empire, Napoléon Iᵉʳ voulut successivement y installer la Banque de France, le tribunal de commerce et la Bourse de Paris. En 1806, il se décida finalement pour un monument à la gloire des armées. L'architecte choisi par ses soins, Alexandre Vignon, recommença le bâtiment de neuf. Six ans plus tard, sentant sa fin prochaine, l'Empereur reprit à son compte le projet d'une église, mais n'en vit pas l'achèvement. Vignon non plus, car il fut retardé dans son travail par Louis XVIII, qui eut l'idée d'en faire un temple dédié à son frère Louis XVI. Ce fut finalement Jean-Jacques-Marie Huvé, collaborateur de Vignon, qui put terminer l'église, consacrée en 1845. Après cent douze ans de travaux, ce qui devait être une perle du classicisme du XVIIIᵉ siècle était devenu un chef-d'œuvre du néo-classicisme du XIXᵉ siècle.

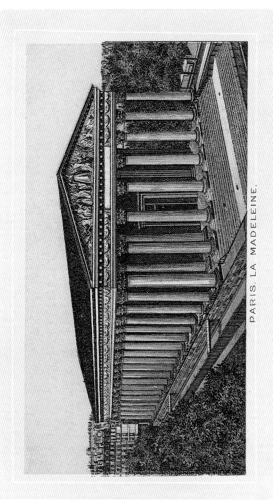

PARIS. LA MADELEINE.

PARC MONCEAU

VIIIᵉ arrondissement

Louis Philippe Joseph, duc de Chartres, descendant de Louis XIII par la branche cadette des d'Orléans, l'était aussi par sa mère, l'une des filles de Louis XIV et de Madame de Montespan. Une grande liberté d'esprit fut sa réponse à une aussi lourde ascendance. On ne s'étonnera donc pas qu'il laissât toute liberté au paysagiste Carmontelle pour aménager le parc de sa folie, comme on appelait alors les maisons de villégiature situées en périphérie de Paris. L'artiste s'en donna à cœur joie en faisant creuser des rivières et un bassin entouré de colonnes corinthiennes. Il ponctua une végétation discrètement domestiquée d'édifices hétéroclites : ruines romaines ou gothiques, moulin hollandais, minaret, pagode, pyramide. Le duc de Chartres se fit aussi aménager un pavillon en rotonde, d'où il pouvait contempler son excentrique domaine. À la Révolution, son ralliement à la Iʳᵉ République sous le nom de Philippe Égalité n'empêcha pas la confiscation de ses biens, ni sa décapitation en 1793. Les d'Orléans récupérèrent le parc à la Restauration, puis le vendirent en 1852. Une moitié fut cédée aux banquiers Émile et Isaac Pereire, qui y firent édifier des hôtels particuliers. Le reste, racheté par l'État, fut confié à l'ingénieur Jean Charles Alphand, au paysagiste Jean-Pierre Barillet-Deschamps et à l'architecte Gabriel Davioud pour en faire l'un des plus charmants parcs de Paris.

ARC DE TRIOMPHE
VIIIe arrondissement

Les Romains construisaient des arcs en pierre décorés de sculptures sous lesquels passaient les armées victorieuses. En 1806, Napoléon Ier décida de les imiter. Il voulait rendre hommage à sa Grande Armée, qui venait de servir sa gloire à Austerlitz. Il choisit le site de la barrière de l'Étoile, une des anciennes portes où s'encaissait l'octroi, droit d'entrée dans Paris. L'endroit ne jouissait pas encore du prestige de la place aux douze avenues, voulue par le baron Haussmann en 1853. Napoléon exigea du grandiose : les fondations seules demandèrent deux ans de travaux. Ni l'Empereur ni son architecte Jean François Thérèse Chalgrin ne virent toutefois l'Arc de triomphe achevé. C'est au roi Louis-Philippe que revint l'honneur d'inaugurer l'édifice en 1836. Depuis, quels que soient les régimes et les gouvernements au pouvoir, le monument est resté un symbole national. En 1920, fut installée sous l'arche la tombe d'une victime anonyme de la guerre de 1914-1918, le soldat inconnu. En 1923, y fut allumée la Flamme du souvenir, ravivée chaque soir. C'est là que les anciens combattants de toutes les guerres où la France envoya des soldats déposent leurs gerbes au moment des commémorations. Cette solennité ne fut rompue que par des as de l'aviation qui passèrent sous l'Arc, le chanteur yé-yé Hector qui se fit cuire un œuf sur la flamme perpétuelle et des féministes qui déposèrent une gerbe en mémoire de la femme du soldat inconnu.

ARC DE TRIOMPHE

OPÉRA GARNIER
IXe arrondissement

En 1858, Napoléon III échappa à un attentat devant l'opéra Le Peletier. Il décida dès le lendemain la construction d'un nouvel édifice, auquel on apporterait un faste digne de l'Empire. Un concours international fut lancé pour désigner l'architecte. Malgré son inexpérience, Charles Garnier l'emporta à la surprise générale. Le site avait été fixé par le baron Haussmann, préfet de Paris et grand organisateur des travaux de la capitale, dans un quartier en pleine rénovation. Les travaux débutèrent en 1861, à l'abri des regards derrière de hautes palissades. Des aléas comme la découverte d'une nappe phréatique firent progressivement grossir le budget. En 1867, la façade principale fut dévoilée. L'impératrice Eugénie se plaignant alors de son manque de style, Garnier lui rétorqua habilement que c'était du Napoléon III. La construction fut interrompue par la guerre de 1870 et la chute du second Empire. Enfin, le 5 janvier 1875, les portes s'ouvrirent. Un public choisi put emprunter le grand escalier en marbre, circuler dans les foyers, dont miroirs et baies vitrées accentuent l'ampleur, et apprécier l'acoustique de la salle rouge et or. Marc Chagall en concevrait le nouveau plafond en 1964. Aujourd'hui, l'immense lustre en cristal est toujours à sa place, même si la chute de ses 8 tonnes sur le public en 1896 fit de nombreux blessés et un mort.

L'OPÉRA

GRANDS BOULEVARDS
IXe arrondissement

« *J'aime flâner sur les Grands Boulevards...* », chantait Yves Montand. Parisiennes et Parisiens partagent cet engouement depuis plus de trois siècles ! La destruction des fortifications de Louis XIII avait commencé vers 1660 pour faire place à de larges voies plantées, pavées et équipées de trottoirs. Les nouveaux boulevards traversent d'ouest en est la rive droite. Résidentiel et cossu, le boulevard de la Madeleine débouche sur celui des Capucines. En cheminant vers l'Opéra, on sent monter l'agitation propre aux lieux où abondent restaurants et cafés, bonnes maisons de commerce et salles de spectacle. Dans le prolongement, le boulevard des Italiens changea maintes fois de nom avant de recevoir celui d'un célébrissime théâtre, devenu l'Opéra-Comique. Il vit défiler les élégantes, du Directoire aux années 1910. Au 10, boulevard Montmartre, le surprenant musée de cire d'Alfred Grévin attira les foules dès son ouverture en 1882. Le boulevard Poissonnière reprit le tracé de la route des marchands de poisson de Boulogne-sur-Mer, d'où son nom. Il accueille deux salles datant des débuts du cinéma : le Grand Rex et le Max Linder.

LES GRANDS BOULEVARDS

LE PRINTEMPS
IXe arrondissement

En 1853, le jeune Nivernais Jules Jaluzot monta tenter sa chance à Paris. Il travaillait au Bon Marché quand il fit la connaissance de la comédienne Augustine Figeac, qu'il épousa en 1864. La copieuse dot de la mariée lui permit de réaliser son rêve : ouvrir son propre grand magasin. Le quartier de la gare Saint-Lazare, en pleine expansion, semblait tout indiqué pour son implantation. En 1865, le premier Printemps ouvrit à l'angle du boulevard Haussmann et de la rue du Havre. Quatre bâtiments le complétèrent en 1874. Ils possédaient tous des ascenseurs, une véritable attraction à l'époque ! On y inaugura aussi une technique de vente qui ferait florès : les soldes en fin de saison. En 1881, un incendie ravagea une partie du magasin principal. Jaluzot en profita pour s'agrandir et confia la conception d'un nouvel édifice à l'architecte Paul Sédille, représentant de l'Art nouveau. Achevé en 1883, le magasin fut le premier à s'équiper de l'éclairage électrique. Malgré son succès, le Printemps traversa une crise financière qui aboutit au départ de son fondateur, en 1905. Le nouveau propriétaire, Gustave Laguionie, fit aussitôt construire un deuxième magasin, l'actuel Printemps-Haussmann. L'architecte féru d'orientalisme René Binet créa l'escalier central à quatre révolutions, et le maître verrier Brière construira la coupole aux vitraux bleus en 1923. Entre-temps, le Printemps avait lancé une nouvelle innovation : les vitrines peuplées de mannequins.

PORTE SAINT-MARTIN
X^e arrondissement

Des fortifications édifiées par les Gaulois à l'actuel boulevard périphérique, les enceintes de Paris ont suivi la croissance de la ville. Il fallait, bien sûr, y ménager des entrées, dont certaines ont survécu à leur usage. C'est le cas de la porte Saint-Martin. Construite sur ordre de Louis XIV en 1674, elle remplaçait une porte de l'enceinte de Charles V datant du XIVe siècle. Laquelle avait remplacée la première du nom, ouverte dans l'enceinte élevée par Philippe Auguste au début du XIIIe siècle. Cet arc de triomphe de 18 mètres de haut fut dessiné par Pierre Bullet, qui concevait à partir de 1668, non loin de là, le Nouveau Cours, première ébauche des Grands Boulevards. Les bas-reliefs allégoriques célèbrent avec grandiloquence les victoires de Louis XIV dans les guerres de Hollande. Sur l'attique couronnant l'édifice, une inscription gravée proclame en latin : *À Louis le Grand pour avoir pris deux fois Besançon et la Franche-Comté et vaincu les armées allemande, espagnole et hollandaise.* Elle est signée du prévôt des marchands et de ses échevins, l'équivalent de notre conseil municipal de Paris. Dès le XVIIIe siècle, le quartier de la Porte-Saint-Martin deviendra un rendez-vous de réjouissances populaires, où s'installeront des théâtres très fréquentés.

LA PORTE ST. MARTIN

PORTE SAINT-DENIS

X[e] arrondissement

La porte marque le passage de la rue Saint-Denis à la rue du Faubourg-Saint-Denis. Ces artères suivent le tracé d'une voie romaine qui conduisait de Lutèce au village gallo-romain de Catolacus, où, selon la légende, Denis, le premier évêque de Paris, se rendit, avec sa tête dans ses mains, après avoir été décapité. Une basilique fut édifiée sur la sépulture du martyr, qui devint une nécropole royale à partir du VIIe siècle. Tous les rois de France ne furent pas inhumés à Saint-Denis, mais tous prirent grand soin de la basilique, où se tinrent de nombreuses cérémonies. Pour se rendre à ce sanctuaire, les cortèges royaux passaient forcément par la porte Saint-Denis. Le monument actuel date de 1672 et fut édifié à la gloire de Louis XIV. Sa construction, confiée à François Blondel, ingénieur du roi, et au sculpteur Michel Anguier, s'inspire de l'arc de Titus, érigé à Rome en 81. À partir de 1750, plus aucun cortège royal n'emprunta cette porte, car Louis XV fit construire une autre route pour se rendre à la basilique, à la suite d'une émeute des habitants du quartier.

PORTE ST DENIS

PLACE DE LA BASTILLE

XIe arrondissement

La Bastille construite au XIVe siècle s'intégrait dans les remparts de Charles V. Richelieu la transforma en prison d'État. Symbole de l'arbitraire royal, elle fut la première cible des révolutionnaires en 1789. Dès le lendemain de la prise de la Bastille, l'entrepreneur Pierre François Palloy mettait des centaines d'ouvriers à sa démolition. Il commercialisa dans la foulée des pierres « certifiées » et organisa en 1790 le tout premier bal du 14 juillet. L'érection d'une colonne commémorative avait été décidée dès 1792. Elle ne fut réalisée que sous Louis-Philippe, en souvenir des journées de juillet, dites les « Trois Glorieuses », qui le hissèrent sur le trône en 1830. L'androgyne Génie de la Liberté la surmonte toujours. Cette colonne, dite aujourd'hui « de Juillet », remplaçait l'Éléphant de la Bastille, fontaine monumentale en honneur de Napoléon Ier, dans laquelle Victor Hugo fit se réfugier son personnage de Gavroche, lors de l'insurrection de 1832. En 1871, elle déplaisait tant aux communards qu'ils tentèrent en vain de la détruire. D'innombrables manifestations contestataires ou festives se déroulèrent sur la place, sous laquelle coule depuis 1862, le canal Saint-Martin.

PARIS AUTREFOIS ET AUJOURD'HUI

LA BASTILLE

LA LIBERTÉ

PLACE DE LA BASTILLE.

GARE DE LYON
XIIe arrondissement

En 1847, se trouva d'abord à cet endroit un embarcadère, simple pont de bois destiné à l'embarquement des passagers de la Compagnie des chemins de fer de Paris à Lyon et à la Méditerranée (PLM). Le vis-à-vis de la prison dit « de Mazas » déplaisait à la PLM, qui tenta vainement d'obtenir de l'État un autre emplacement. Le trafic ne cessant de croître, l'embarcadère fut remplacé en 1855 par une bâtisse en pierre, située sur une butte pour la protéger des crues de la Seine. L'architecte Marius Toudoire, qui signa plusieurs gares, dessina les plans d'un nouveau bâtiment en 1900. On démolit alors la prison, non seulement pour faire place à la nouvelle gare, mais aussi pour que rien ne vienne ternir le bonheur des visiteurs de l'Exposition universelle, qui allait avoir lieu, à leur arrivée. Attraction majeure de la gare : l'horloge perchée sur un beffroi de 67 mètres, avec des cadrans sur ses quatre côtés. Il y a aussi la grande verrière, patrimoine architectural qui a été soigneusement entretenu. Elle a été augmentée de deux autres lors des grands travaux entrepris en 2010. La compagnie PLM avait en 1900 fait construire un buffet, où les voyageurs pourraient se restaurer dans un cadre agréable. L'établissement, avec ses vastes salles, ses sièges dodus, ses dorures et ses quarante et un tableaux, rebaptisé Train bleu en 1963 et classé aux Monuments historiques en 1970, a compté parmi ses fidèles Coco Chanel et Marcel Pagnol.

GARE DE LYON

PLACE DE LA NATION

XIIe arrondissement

Le site n'était qu'un terrain vague quand on y dressa en 1660 un trône pour accueillir Louis XIV ramenant Marie-Thérèse d'Autriche de Saint-Jean-de-Luz, où il venait de l'épouser. On l'appela place du Trône. Si l'arc de triomphe voulu par Colbert pour commémorer l'événement ne fut jamais achevé, deux colonnes réalisées en 1784 par Claude Nicolas Ledoux, promoteur d'un urbanisme humaniste, marquent toujours l'entrée de l'avenue du Trône. Sous la Révolution, la place prit le nom de Trône-Renversé, et on y dressa une guillotine. C'est là que moururent les carmélites de Compiègne qui inspireraient plus tard à Georges Bernanos son unique pièce de théâtre. L'urbanisation des alentours ne commença réellement qu'au second Empire. Un nouveau projet d'arc de triomphe échoua à cette époque. En revanche, celui d'une statue saluant le centenaire de la Révolution et placée au centre d'une place monumentale fut mené à bien. Son concepteur, le sculpteur Jules Dalou, consacra vingt ans à sa réalisation. Cette allégorie de la République, nommée *Triomphe de la République*, juchée sur un char tiré par deux lions, porte son regard vers le faubourg Saint-Antoine. Cette orientation n'était pas due au hasard : elle rendait hommage à ce quartier frondeur dont les artisans du meuble et les ouvriers fournirent le gros des troupes lors de la prise de la Bastille.

PLACE DE LA NATION

MANUFACTURE DES GOBELINS

XIIIe arrondissement

Les Gobelins étaient une famille de teinturiers champenois du XVe siècle. Leur commerce parisien les enrichit si bien qu'ils acquirent de larges propriétés au bord de la Bièvre, un affluent de la Seine qui fut recouvert sur son parcours urbain au début XXe siècle. Jamais ils ne produisirent de tapisseries ! Ils allaient néanmoins définir la vocation du quartier. Au XVIe siècle, Henri IV attira en effet à cet endroit de talentueux tapissiers flamands. Puis Louis XIV, sous l'influence de Colbert, y créa la Manufacture royale des Gobelins. On réalisa là jusqu'au XVIIIe siècle les tapisseries destinées aux résidences officielles de la Couronne. Les pièces estampillées « Gobelins » étaient synonymes de perfection dans toutes les cours d'Europe. Hélas, l'entretien de la manufacture coûtait fort cher. L'aide apportée par Napoléon Ier ne suffit pas à sauver les ateliers parisiens. En 1825, les réalisations les moins prestigieuses furent transférées à Beauvais. Seuls restèrent à Paris les métiers de haute lice, sur lesquels un an de travail était nécessaire pour tisser 1,20 mètre de tapisserie. En 1966, une annexe des Gobelins fut ouverte à Lodève, où l'on utilisa le savoir-faire des femmes de harkis. Rattachés au Mobilier national en 1937, les Gobelins font, depuis leur création, appel à de prestigieux artistes pour dessiner leurs modèles.

PARIS ✦ AUTREFOIS & AUJOURD'HUI

JEAN GLUCQ
1655.

MANUFACTURE DES GOBELINS.

LA BIÈVRE.

BUTTE-AUX-CAILLES

XIIIe arrondissement

Du haut de ses 63,30 mètres, la Butte surplombait les eaux de la Bièvre. Elle doit son nom à Pierre Caille, qui acheta en 1543 cette colline couverte de vignes et de moulins à vent. Un village se forma, où s'installèrent des artisans, blanchisseurs, teinturiers et tanneurs, utilisant — et polluant — l'eau de la rivière. En 1828, la Bièvre avait atteint un tel taux d'insalubrité qu'on décida de l'enfouir. En 1863, le scientifique et politicien François Arago avait eu l'idée d'exploiter un puits artésien, situé sur l'actuelle place Verlaine, pour procurer l'eau courante aux habitants de la Butte. Problèmes techniques et querelles administratives retardèrent le projet. Quand en 1904, une belle eau à 28 °C jaillit enfin, la Bièvre, recouverte déjà en grande partie, ne pouvait plus absorber le surplus. Le puits ne fut pourtant pas aménagé en vain, puisqu'il alimente depuis 1924 la piscine de la Butte-aux-Cailles, où l'on peut nager en plein air toute l'année. La Butte fit partie de la commune de Gentilly jusqu'en 1860 : son rattachement à Paris ne changea guère sa physionomie. Son village à l'ancienne a été préservé grâce à son sous-sol calcaire, dont la fragilité interdit la construction d'immeubles lourds.

CAFÉ EN GRAINS TREBUCIEN

CORVISART

LA BUTTE AUX CAILLES

Le Pont de TOLBIAC

PLACE DENFERT-ROCHEREAU
XIVe arrondissement

Avant de devenir la place Denfert-Rochereau, l'endroit s'appelait... place d'Enfer ! Ce nom faisait allusion à une porte en fer de l'enceinte médiévale de Paris, ou selon d'autres historiens, à la mauvaise réputation du lieu. Au XVIIIe siècle, on payait à cet endroit l'octroi à la barrière d'Enfer, l'une des entrées de l'enceinte des Fermiers généraux. Les deux bâtiments encadrant cet accès à Paris, dessinés par Claude Nicolas Ledoux, sont restés intacts. L'un abrite aujourd'hui l'entrée des catacombes de Paris. Au centre de la place, le *Lion* de Frédéric Auguste Bartholdi, également auteur de la statue de la Liberté de New York, n'est que la réplique au tiers de sa sculpture monumentale qui trône à Belfort. L'original rend hommage au colonel Denfert-Rochereau, qui défendit vaillamment la ville de l'Est contre les Prussiens en 1870-1871. En 1879, on baptisa la place du nom de ce héros. À l'écart de la place, se trouve la plus ancienne gare de la capitale, Paris-d'Enfer, inaugurée en 1846. Les voyageurs de la ligne de Sceaux, y arrivant des proches villages du sud, prenaient ensuite un des nombreux tramways de la place pour les conduire au centre de la capitale.

PARIS AUTREFOIS ET AUJOURD'HUI

LION DE BELFORT
1870.

ALSACE LORRAINE

AVENUE D'ORLÉANS.

LES VIEILLES BARRIÈRES.

CITÉ INTERNATIONALE UNIVERSITAIRE

XIVᵉ arrondissement

Cet ensemble résidentiel pour étudiants et chercheurs du monde entier se situe dans un vaste et beau parc. Il fut initié en 1920 par André Honnorat, journaliste puis haut fonctionnaire, ministre de l'Instruction publique et pacifiste convaincu. La première « maison », qui ouvrit en 1925, était baptisée Fondation Louise-et-Émile-Deutsch-de-la-Meurthe, en hommage aux industriels alsaciens qui épaulèrent Honnorat dans son projet. Son style évoque celui des résidences universitaires britanniques. Les pavillons qui s'ajoutèrent jusqu'en 1969 furent financés par des mécènes ou par des gouvernements. Ils offrent un patchwork architectural qui fait le charme du lieu. La Fondation des États-Unis (1929) présente des intérieurs Art déco. La maison du Japon (1929) et la maison de l'Asie du Sud-Est (1930) portent des toits de pagode. Le collège d'Espagne (1937) a l'altière austérité des palais ibériques. La maison du Maroc (1953) abrite un patio aux céramiques colorées. La maison du Brésil (1957), conçue par Le Corbusier et Lucio Costa, est un chef-d'œuvre du modernisme. Audacieuse dans son architecture, la résidence André-de-Gouveia (1967), due à la Fondation portugaise Calouste-Gulbenkian, abrite un théâtre, où le Grand Magic Circus de Jérôme Savary fit ses premières armes en 1971. Sur cette Terre en miniature, on dénombre quelque cent quarante nationalités. La cité a vu défiler en 2012 plus de deux cent mille heureux résidents.

Cité Universitaire - Fondation des États-Unis

PARC MONTSOURIS
XIVᵉ arrondissement

Ce parc à l'anglaise vient de la volonté de Napoléon III d'offrir aux Parisiens des espaces verts aux quatre points cardinaux de la capitale. Pour le sud, l'empereur choisit le site des carrières désaffectées de Montsouris. Le nom du site remonterait au XVIᵉ siècle et serait dû à la présence de moulins surnommés « Moque-Souris », car ils concassaient non du blé mais des pierres, dont les souris ne raffolent pas. Les travaux débutèrent en 1860 sous la direction de Jean Charles Alphand, ingénieur de très nombreux jardins parisiens. Les terrassiers durent d'abord déblayer des tonnes d'ossements transportés dans les carrières à la fermeture du cimetière des Innocents en 1780. Puis vint la consolidation de ce terrain fragile qui fut compliquée par le passage des rails de la ligne de Sceaux et de la petite ceinture. En revanche, la proximité de l'aqueduc d'Arcueil facilita la création d'une cascade et d'un lac, plus tard agrémenté d'une île. En 1869, le parc accueillit le palais du Bardo. Ce pavillon, qui représentait la Tunisie à l'Exposition universelle de 1867, reproduisait la résidence d'été du bey de Tunis. Il servit d'observatoire astronomique jusqu'en 1974. Sa réfection était prévue, mais un incendie le ravagea en 1991. Il reste au parc Montsouris de nombreux charmes : son pavillon à verrière, dit autrefois « jardin de la Paresse » ; ses statues des XIXᵉ et XXᵉ siècles ; ses arbres remarquables ; la belle variété d'oiseaux qui aiment à y séjourner.

PALAIS DU TROCADÉRO
XVIe arrondissement

La colline de Chaillot surmontait les carrières de Passy. Sous l'Ancien Régime, maraîchers et vignerons cultivaient ses pentes, tandis que nobles et bourgeois occupaient les hauteurs. Il y eut un château, transformé en couvent, lequel fut détruit sous la Révolution. Ce lieu majestueux, avec vue sur la Seine, inspira des projets architecturaux avortés, dont celui de Napoléon Ier d'un palais pour son fils, puis celui d'un tombeau pour l'Empereur. L'Exposition universelle de 1867 allait impulser la construction sur la colline du palais du Trocadéro, du nom d'une victoire française en Espagne en 1823. Ce palais d'influence mauresque ne devait pas survivre à la manifestation. Il fut conservé cependant, et abrita le musée des Monuments français, puis le premier musée d'Ethnographie français, avant d'être abattu en 1937 pour faire place à l'actuel palais de Chaillot. Le nouvel édifice, bâti pour l'Exposition internationale des arts et techniques, reprit la structure de l'ancien, mais ouvrit au milieu une esplanade face à la tour Eiffel. Son style néoclassique avait enchanté Hitler. Mais, ironie de l'histoire, il devint après-guerre le premier siège de l'Onu, où fut adoptée en 1948 la Déclaration universelle des droits de l'homme. Le palais connut les grandes heures de la Cinémathèque française, qui y logeait avant son déménagement pour Bercy en 2005. Il abrite aujourd'hui plusieurs musées. Quant à l'esplanade, elle fut rebaptisée parvis des Droits-de-l'Homme en 1985.

PARIS Autrefois et Aujourd'hui

LAMARTINE

LES CARRIÈRES DE PASSY

LE PALAIS DU TROCADERO

BOIS DE BOULOGNE
XVIᵉ arrondissement

Au VIIᵉ siècle, quand le roi Dagobert y chassait l'ours, le bois de Boulogne ne faisait qu'un avec ceux de Chaville et de Meudon, ainsi qu'avec les forêts de Saint-Germain-en-Laye et de Montmorency. Son nom vient de la chapelle Notre-Dame-de-Boulogne-la-Petite que Philippe le Bel édifia au retour d'un pèlerinage à Boulogne-sur-Mer. Repaire de brigands, ce bois devint le théâtre de festivités sous François Iᵉʳ. Le Roi-Chevalier, esthète de la Renaissance, y avait en effet fait construire le château de Madrid, aujourd'hui disparu. Au XVIIIᵉ siècle, Louis XVI clôtura une partie du bois pour y chasser à son aise. Redevenu bien public après la Révolution, le bois de Boulogne fut cédé par l'État à la Ville de Paris en 1852. Le préfet de Paris, le baron Haussmann, se vit alors confier son aménagement par Napoléon III, qui avait décidé de doter la capitale d'espaces verts. Il s'entoura pour cette réalisation de ses fidèles collaborateurs : l'ingénieur Jean Charles Alphand, le paysagiste Jean-Pierre Barillet-Deschamps et l'architecte Gabriel Davioud, qui dessina les nombreux kiosques et chalets, et le jardin d'acclimatation. La proximité du puits artésien de Passy permit de créer cascades, rivières et lacs artificiels. En 1858, l'hippodrome de Longchamp acheva de faire du bois un rendez-vous chic, traversé d'allées cavalières. Avec ses 846 hectares, dont 390 de forêt naturelle, le bois de Boulogne produit toujours l'illusion de la campagne à Paris.

Le Ruisseau — Bois de Boulogne

ENVIRONS DE PARIS

BASILIQUE DU SACRÉ-CŒUR
XVIIIe arrondissement

Cette basilique d'une étonnante blancheur domine Paris depuis la colline de Montmartre, où saint Denis, premier évêque de Paris, aurait été supplicié au IIIe siècle. En 1534, Ignace de Loyola et ses compagnons se réunirent à cet endroit pour fonder la Compagnie de Jésus. Le lieu porte donc une forte empreinte catholique. En 1870, grands bourgeois et membres éminents du clergé vont en jouer pour pousser leur projet de construction d'une basilique du Sacré-Cœur. À cette date, l'Église accuse le relâchement des valeurs morales d'être à l'origine de la défaite de Sedan, de la chute du second Empire et de la proclamation de la IIIe République. Elle vise au retour d'un ordre moral, qui balayerait les cent ans qui se sont écoulés depuis la Révolution. Un an plus tard, la Commune de Paris apeure les tenants du pouvoir... Tout est alors réuni pour qu'en 1873 l'Assemblée nationale vote une déclaration d'utilité publique pour la basilique, malgré les protestations des partisans de la laïcité. Dans la foulée, l'archevêque de Paris obtient le pouvoir d'exproprier les habitants du village de Montmartre. Une souscription nationale est ensuite lancée auprès des fidèles. Depuis la consécration du sanctuaire en 1919, on y assure en permanence le service de l'adoration du Cœur de Jésus. Ce dont ne se doutent vraisemblablement pas les millions de visiteurs annuels, bien plus émoustillés par le Montmartre des cabarets.

CL. LECONTE

PARIS - LA BASILIQUE DU SACRÉ-CŒUR

MONTMARTRE
XVIIIᵉ arrondissement

L'extension de Paris décidée par Napoléon III partagea la commune indépendante de Montmartre en deux : une partie fut rattachée à Saint-Ouen, le reste au XVIIIᵉ arrondissement. Montmartre, quartier profondément populaire, n'en perdit pas pour autant son esprit frondeur. C'est de là que partit la révolte de la Commune en 1871. Montmartre est aussi depuis le début du XIXᵉ siècle une pépinière d'artistes, qui fréquentaient la place du Tertre. Géricault, l'auteur du *Radeau de la Méduse*, finit ses jours à Montmartre. Suzanne Valadon, modèle de Renoir, de Degas et de Toulouse-Lautrec, avant de dévoiler son propre talent, y mit au monde son fils, Maurice Utrillo. Van Gogh y rencontra Gauguin. La vie artistique battit son plein au tout début du XXᵉ siècle, avec l'ouverture des ateliers du Bateau-Lavoir, où Picasso présenta à la stupéfaction générale en 1907 son révolutionnaire *Demoiselles d'Avignon*. En 1920, cubistes et dadaïstes présentèrent chacun leur liste aux premières élections de la commune libre de Montmartre. Mais ce furent les antigratteciellistes de l'affichiste Poulbot qui l'emportèrent. Leur nouveau maire, le dessinateur Depaquit, créa aussitôt la Foire aux croûtes, qui permit à de nombreux artistes de se faire connaître. En 1930, les Montmartrois plantèrent un vignoble pour préserver les pentes de l'urbanisation. On déguste toujours le clos-montmartre en octobre, à l'occasion de la fête des Vendanges.

PARIS

AUTREFOIS   AUJOURD'HUI

MOULIN DE LA GALETTE

MERIDIEN DE PARIS ÉRIGÉ EN 1730.

MONTMARTRE.

LE SACRÉ CŒUR.

MOULIN DE LA GALETTE

XVIIIᵉ arrondissement

En réalité, il n'y a pas un mais deux moulins de la Galette : le Blute-fin, datant de 1622, et le Radet, de 1717. Ils restent seuls survivants des quatorze moulins à vent qui couronnaient la butte Montmartre. Au début du XIXᵉ siècle, leurs propriétaires, les Debray, y vendaient un petit pain de seigle, appelé « galette ». Cette famille de meuniers abandonna son activité dans les années 1830 pour transformer les jardins des moulins en guinguette : le bal Debray était né ! La rue Lepic, remplaçant depuis 1809 les chemins boueux qui montaient à la butte, rendait l'accès à ce nouveau lieu de divertissement facile. Le succès fut donc immédiat. Les habitants de l'ouest parisien venaient au bal s'encailler le dimanche en se mêlant à la population locale. On dansait d'abord en plein air, puis le bal se dota d'une salle. Les vedettes du french cancan, la Goulue, Nini Patte en l'air et Valentin le Désossé, croqués par Toulouse-Lautrec, y firent leurs débuts. Le nom officieux de Moulin de la Galette devint officiel en 1895. Renoir, en 1876, Picasso, en 1900, puis Van Dongen, en 1904, immortalisèrent la joyeuse ambiance du bal. Mais la Première Guerre mondiale mit fin à la liesse. Les deux moulins abritèrent ensuite un music-hall, puis des studios de l'ORTF. Ils furent classés aux Monuments historiques en 1958. Aujourd'hui, ils surplombent un restaurant gastronomique qui a repris le nom de Moulin de la Galette.

MOULINS DE LA GALETTE

PARC DES BUTTES-CHAUMONT
XIXe arrondissement

Durant son exil à Londres, Louis-Napoléon Bonaparte avait admiré les travaux urbains orchestrés par la reine Victoria. Devenu Napoléon III en 1851, il entreprit à son tour de reconstruire Paris. Ses travaux avait notamment pour but de repousser à la périphérie les classes populaires. En décidant de doter Paris de parcs à ses quatre points cardinaux, l'empereur ménageait des poches d'air dans la capitale, mais s'assurait surtout de faire régner la sécurité dans le centre. Partie prenante de cet ambitieux projet impérial, l'ingénieur Jean Charles Alphand conduisit à l'est l'aménagement de la butte, située sur les carrières de Belleville récemment désaffectées. Le gibet de Montfaucon, en usage jusqu'à Louis XIII, avait laissé à l'endroit un sombre souvenir. Les Buttes-Chaumont n'en deviendront pas moins un hommage au plaisir de vivre. Adoptant un style rococo, remis au goût du jour dans la seconde moitié du XIXe siècle, le plus escarpé des parcs de Paris s'étage autour d'un lac occupé en son centre par une île en hauteur, coiffée d'un kiosque. Sa végétation luxuriante, ses allées labyrinthiques, ses ponts et ses rocailles séduiront les surréalistes, qui aimaient à sauter les grilles pour des virées nocturnes. Ces artistes de l'entre-deux-guerres auraient presque pu croiser un de leurs héros favoris, Fantômas, dont les créateurs, Pierre Souvestre et Marcel Allain, avaient situé le repaire près du parc, rue de Mouzaïa.

PARIS

AUTREFOIS — AUJOURD'HUI

MONTFAUCON.

ALPHAND

BUTTES CHAUMONT.

CIMETIÈRE DU PÈRE-LACHAISE

XXe arrondissement

Au Moyen Âge, la colline où se trouve le cimetière appartenait à l'évêché de Paris. On y cultivait la vigne. Les jésuites, propriétaires de l'endroit au XVIIe siècle, en firent une résidence de repos. Parmi les habitués, figurait le confesseur de Louis XIV, François D'Aix de La Chaise, dit le père de La Chaise. Abandonnée en 1762, la résidence fut acquise par la mairie de Paris en 1802. Cet achat entrait dans un projet de création de cimetières autour de la capitale : après celui de Montmartre, au nord, de Montparnasse, au sud, de Passy, à l'ouest, fut ouvert à cet endroit le cimetière de l'est. La conception de la nouvelle nécropole fut confiée à Théodore Brongniart, l'architecte de la Bourse. Inauguré en 1804, le Père-Lachaise était doté de larges allées richement plantées. Cependant, les Parisiens répugnaient à établir leur dernière demeure dans cet endroit affligé d'une mauvaise réputation. La mairie de Paris eut alors une ingénieuse idée : elle y fit transférer en 1817 les tombes d'Héloïse et Abélard, de Molière et de La Fontaine, et il devint extrêmement distingué de s'y faire enterrer ! Aujourd'hui, deux millions de promeneurs pénètrent chaque année dans ce parc de 43 hectares contenant soixante-dix mille sépultures, dont certaines grandioses. Parmi les célébrités qui y reposent, le chanteur Jim Morrison et le pape du spiritisme Allan Kardec reçoivent le plus de visiteurs.

MÉNILMONTANT
XXe arrondissement

Des documents du XIIIe siècle mentionnent le village de Mesnilium Mautenz, la « villa du mauvais temps », qui se transforma trois siècles plus tard en Mesnil montant, nom maintenant plus adapté à ce quartier perché sur une colline aux pentes abruptes. Sous Louis XIV, Michel Le Peletier, intendant des Finances, séduit par cette campagne si proche de la capitale, y fit construire le château de Ménilmontant. Au XVIIIe siècle, le village attira un public nettement moins guindé, celui des premiers bals. Situé hors de Paris, il n'était en effet pas soumis à l'octroi et pouvait vendre le vin à moindre coût. À la Révolution, l'installation du télégraphe de Claude Chappe dans le parc du château marqua la chronique de Ménilmontant. Toutefois pour peu de temps, car les habitants, croyant qu'il envoyait des messages à la famille royale emprisonnée au Temple, détruisirent l'étrange engin. Ménilmontant n'était alors qu'une paroisse de la commune de Belleville, qui fut annexée à Paris en 1860. Puis, de la Commune en 1871 à la Résistance, un vent de rébellion souffla continuellement sur ce quartier très populaire. « Ménilmuche », ainsi surnommé par ses habitants, fut aussi un berceau de la chanson française, avec pour étoiles Aristide Bruant ou Charles Trenet et, plus récemment, Camille.

LE MÉTROPOLITAIN

Dès le milieu du XIXᵉ siècle, la circulation dans les rues de Paris était devenue infernale ! Des ingénieurs présentèrent alors des projets plus ou moins farfelus aux autorités de la Ville, qui tardaient à se décider. L'approche de l'Exposition universelle de 1900 obligea Paris à prendre une décision : en 1897, le système de traction électrique proposé par Fulgence Bienvenüe fut adopté. Les travaux de la ligne 1, de la porte de Vincennes à la porte Maillot, débutèrent en octobre 1898. Paris devint alors un immense chantier. Il fallait non seulement creuser des tunnels et édifier des viaducs, mais encore évacuer les déblais et souvent dévier des canalisations. La Ville assumait le terrassement, tandis que la Compagnie de chemin de fer métropolitain de Paris (CMP) s'occupait de l'équipement et du fonctionnement. La création des édicules ornant les entrées revint à l'architecte Hector Guimard, maître de l'Art nouveau. Le succès fut immédiat à l'ouverture du premier tronçon en juillet 1900. La CMP mit alors en œuvre d'autres lignes plus tôt que prévu. La ligne 4, dans l'axe nord-sud, imposait de traverser la Seine. Le défi fut relevé avec l'utilisation de caissons. Des découvertes attendaient parfois les terrassiers, comme à la Bastille, un pan de mur de la prison détruite à la Révolution. Le réseau se développa jusque dans les années 1930, fut nationalisé en 1948 et, dès 1960, s'étendit de plus en plus vers les banlieues.

MÉTROPOLITAIN DE PARIS

CHRONOLOGIE

Vers 10 av. J.-C. : les Gaulois Parisii frappent leur première monnaie.

53 av. J.-C. : bataille de Lutèce, remportée par les Romains. La cité devient gallo-romaine.

Vers 300 : Lutèce devient Paris.

451 : la future sainte Geneviève exhorte les Parisiens à résister aux Huns d'Attila.

508 : le Franc Clovis fait de Paris la capitale de son royaume.

1163 : début de la construction de la cathédrale Notre-Dame de Paris.

1190-1220 : le roi Philippe Auguste fait édifier une nouvelle enceinte fortifiée autour de Paris. À la même époque, il décide la construction du Louvre.

1253 : Robert de Sorbon fonde la Sorbonne.

1357 : le prévôt des marchands Étienne Marcel installe la municipalité en place de Grève, future place de l'Hôtel-de-Ville.

1572 : Massacre de la Saint-Barthélemy organisé par les chefs catholiques contre les protestants.

1720 : les noms des rues de Paris sont indiqués sur des panonceaux.

1784-1790 : érection du mur des Fermiers généraux.

14 juillet 1789 : prise de la prison de la Bastille.

21 janvier 1793 : le roi Louis XVI est décapité sur la place de la Concorde.

Juillet 1830 : émeute qui aboutit à la destitution de Charles X.

1832 et 1834 : insurrections républicaines férocement réprimées.

1843 : premiers essais d'éclairage électrique public sur la place de la Concorde.

4 septembre 1870 : proclamation de la IIIe République.

26 mars-22 mai 1871 : Commune de Paris, qui se terminera par un massacre des insurgés par les troupes du président Thiers.

1879 : début de la mise en place d'un réseau téléphonique.

31 mars 1889 : inauguration de la tour Eiffel.

19 juillet 1900 : ouverture de la première ligne de métro, entre Vincennes et la porte Maillot.

1910 : une énorme crue de la Seine fait monter l'eau jusqu'à la barbe du zouave du pont de l'Alma.

1918 : Paris est bombardée par un canon de l'artillerie allemande surnommé la Grosse Bertha.

14 juillet 1935 : manifestation des partisans du Front populaire, qui accédera au pouvoir en 1936.

14 juin 1940 – 22 août 1944 : les troupes nazies occupent Paris.

1968 : Paris intra muros ne fait plus partie du département de la Seine et devient un département indépendant.

31 janvier 1977 : inauguration du Centre national d'art et de culture Georges-Pompidou.

1983-1993 : chantier du Grand Louvre.

2007 : apparition dans Paris étouffé par la circulation d'un nouveau mode de transport : les Vélib'.

INDEX DES MONUMENTS

POUR EN SAVOIR PLUS

Barrely (Christine), *Les Secrets de Paris*,
Le Chêne, 2012.

Busson (Didier) et Ferrand (Franck), *Paris,
la ville à remonter le temps*, Flammarion, 2012.

Chadych (Danielle) et Leborgne (Dominique),
L'Histoire de Paris pour les nuls, First, 2006.

Clément (Alain) et Thomas (Gilles), *Atlas du Paris
souterrain. La doublure sombre de la Ville lumière*,
Parigramme, 2001.

Combeau (Yvan), *Histoire de Paris*, PUF,
collection « Que sais-je ? », 2010.

Duby (Georges, dir.) et Lobrichon (Guy), *Histoire de
Paris par la peinture*, Citadelles & Mazenod, 2008.

Durou (Jean-Marc) et Tocqueville (Aude de),
100 Monuments pour raconter l'histoire de Paris,
Aubanel, 2009.

Fierro (Alfred), *Histoire et dictionnaire de Paris*,
Robert Laffont, collection « Bouquins », 1999.

Gautrand (Jean-Claude), *Paris, mon amour*,
Taschen, 2004.

Jacrot (Christophe), *Paris sous la pluie*,
Le Chêne, 2008.

Jaeglé (Marianne), *Histoire de Paris et des Parisiens*,
Cie 12, 2005.

Hazan (Éric), *Vues de Paris – 1750-1850*,
Bibliothèque de l'Image, 2011.

Laforge (Louis) et Carolis (Patrick de), *Des Racines et des ailes : Paris au fil de la Seine*, Le Chêne, 2012.

Lesbros (Dominique), *Curiosités de Paris*, Parigramme, 2012.

Matouk (Jean-Richard), *Jeux de piste et énigmes à Paris : les arrondissements*, Hachette Tourisme, 2012.

Moncan (Patrice de) et Marville (Charles), *Paris avant-après*, Le Mécène, 2012.

Pinon (Pierre), *Paris détruit – Du vandalisme architectural aux grandes opérations d'urbanisme*, Parigramme, 2011.

Robb (Graham), *Une histoire de Paris par ceux qui l'ont fait*, Flammarion, 2012.

Turcot (Laurent) et Belleguic (Thierry), *Histoire de Paris de l'âge classique à la modernité*, Hermann, 2012.

Le petit livre des saints, tome 1,
Christine Barrely, Saskia Leblon, Laure Péraudin,
Stéphane Trieulet

Le petit livre des saints, tome 2,
Defendente Génolini

Le petit livre de la Bible,
Christine Barrely

Le petit livre de la vie de Jésus,
Christine Barrely

Le petit livre de Marie,
Christine Barrely

Le petit livre des dieux,
Olivia Nour

Le petit livre des anges,
Nicole Masson

Le petit livre des rois de France,
Guillaume Picon, Katia Boudoyan

Le petit livre de la Révolution,
Jean-Claude et Josette Demory

Le petit livre de Napoléon,
David Chanteranne

Le petit livre des départements,
Dominique Foufelle

***Le petit livre des villes et blasons*,**
Marie-Odile Mergnac

***Le petit livre des châteaux*,**
Dominique Foufelle

***Le petit livre des expressions familières*,**
Dominique Foufelle

***Le petit livre des chats*,**
Brigitte Bulard-Cordeau

***Le petit livre des chiens*,**
Virgine Bhat

***Le petit livre des arbres*,**
Dominique Pen Du

***Le petit livre des fleurs*,**
Dominique Pen Du

***Le petit livre des champignons*,**
Myriam Blanc

***Le petit livre des bébés*,**
Christine Barrely

© 2013, Éditions du Chêne – Hachette Livre
www.editionsduchene.fr

Responsable éditoriale : Nathalie Bailleux
avec la collaboration de Franck Friès
Suivi éditorial : Fanny Martin
Directrice artistique : Sabine Houplain
Lecture-correction : Myriam Blanc

Ventes directes et partenariats : Claire Le Cocguen
clecocguen@hachette-livre.fr
Relations presse : Hélène Maurice
hmaurice@hachette-livre.fr

Mise en page et photogravure : CGI
Édité par les Éditions du Chêne
(43, quai de Grenelle, 75905 Paris Cedex 15)
Imprimé par Toppan Leefung Printing en Chine
Achevé d'imprimer en janvier 2013
Dépôt légal : mars 2013
ISBN 978-281230-740-9
32/3621/3-01